1 MONTH OF
FREE
READING

at

www.ForgottenBooks.com

By purchasing this book you are eligible for one month membership to ForgottenBooks.com, giving you unlimited access to our entire collection of over 1,000,000 titles via our web site and mobile apps.

To claim your free month visit:

www.forgottenbooks.com/free1201299

ISBN 978-0-331-50138-4
PIBN 11201299

This book is a reproduction of an important historical work. Forgotten Books uses state-of-the-art technology to digitally reconstruct the work, preserving the original format whilst repairing imperfections present in the aged copy. In rare cases, an imperfection in the original, such as a blemish or missing page, may be replicated in our edition. We do, however, repair the vast majority of imperfections successfully; any imperfections that remain are intentionally left to preserve the state of such historical works.

BERICHT

ÜBER DIE

CHOL

DES JAHRES 1866

STRAF-ANSTALT ZU HALL

1867.

BERICHT

ÜBER DIE

HOLERA-EPIDEMIE

DES JAHRES 1866

HALLE,

IN DER STRAF-ANSTALT ZU HALLE
UND IM SAALKREISE

VON

Dr. ERNST DELBRÜCK
KREIS-PHYSIKUS DES SAALKREISES ZU HALLE.

HALLE

C. E. M. PFEFFER.

1867.

VORWORT.

Dieser Bericht ist zunächst auf Erfordern der Königlichen Regierung und zum Theil auf Grund der Berichte meiner Herren Collegen im Saalkreise erstattet worden; sein Inhalt schliesst sich daher dem Inhalte des Regierungsrescriptes und der darin angeregten Fragen an.

Vorzugsweise war ich aber bemüht, alles thatsächliche Material, welches für die schwebende wissenschaftliche Frage über die Verbreitungsart der Cholera von Wichtigkeit sein konnte, möglichst objectiv und vollständig zusammenzustellen. Ein bestimmtes Resultat liefert dieser Bericht nicht; wenn ich ihn demungeachtet veröffentliche, so geschieht es in dem Wunsche, das darin enthaltene thatsächliche Material auch weiteren Kreisen zugänglich zu machen. Nur durch genaue und gewissenhafte Untersuchungen der einzelnen Epidemien an verschiedenen Orten und zu verschiedenen Zeiten und durch den Vergleich der Resultate können wir hoffen, zu einer endlichen Entscheidung der schwebenden wissenschaftlichen Fragen zu gelangen.

Von diesem Standpunkt aus bitte ich diese Arbeit mit Nachsicht zu beurtheilen.

Halle im Mai 1867.

Delbrück.

Ich habe schon im Jahre 1855 der Königlichen Regierung einen ausführlichen Bericht über die Cholera-Epidemie des Jahres 1855 erstattet und zwar mit besonderer Berücksichtigung der damals erschienenen: „Beobachtungen und Untersuchungen über die Verbreitungsart der Cholera" von Pettenkofer. Ich ging dabei auch auf die Epidemien der Jahre 1849 und 1850 zurück und glaubte, eine auffallende Uebereinstimmung der Pettenkoferschen Theorie mit den ermittelten Thatsachen gefunden zu haben. Es war deshalb für mich von grossem Interesse, in derselben Richtung auch diese Epidemie genauer zu studiren und die Resultate mit denen meiner früheren Untersuchungen zu vergleichen. Auch diese Untersuchungen ergaben wieder dieselbe Uebereinstimmung. Um nicht schon Gesagtes wiederholen zu müssen, werde ich nicht umhin können, mich auf meinen damaligen Bericht, welcher später im Druck erschienen ist*), zu beziehen. Erst später, nachdem jener Bericht erschienen ist, trat Pettenkofer auch mit seiner Grundwasser-Theorie hervor; (in dem „General-Bericht über die Cholera-Epidemie von 1854 im Königreich Baiern") ich werde deshalb auch im Laufe des Berichts auf diese Theorie zu reden kommen.

---

*) Bericht über die Cholera-Epidemie des Jahres 1855 in der Strafanstalt zu Halle, in Halle und im Saalkreise mit besonderer Berücksichtigung der Verbreitungsart in dieser und in den früheren Epidemien von Dr. Ernst Delbrück, Königl. Preuss. Kreisphysikus zu Halle a. S. Herausgegeben vom Verein der Aerzte im Regierungs-Bezirke Merseburg. Halle, C. E. M. Pfeffer. 1856.

Nachdem schon in den letzten Monaten vor Ausbruch der Epidemie hin und wieder, und in den letzten Wochen häufiger, choleriforme Diarrhöen und einzelne Cholera-Anfälle mit glücklichem Verlauf, ja im Mai selbst ein schnell tödtlich verlaufender Cholera-Anfall auf der Straf-Anstalt beobachtet worden, kam die Epidemie Ende Juli in Halle, und zwar in einigen Strassen des Neumarkts, in der dicht angrenzenden Straf-Anstalt und dem angrenzenden Giebichenstein z u g l e i c h zum Ausbruch.

Der erste der Epidemie angehörige Todesfall ereignete sich in einem Hause der kleinen Wallstrasse an der Ecke der grossen Wallstrasse am 19. Juli, dem sich sofort in den genannten beiden Strassen, dem in die Wallstrasse mündenden Jägerplatz und der benachbarten Breitenstrasse mehrere Erkrankungs- und Todesfälle anschlossen, so dass noch im Laufe des Juli die Zahl der Todesfälle in den genannten Strassen auf sieben stieg. Bis zum 30. d. Monats incl. kommen ausserdem nur noch zwei vereinzelte Todesfälle in anderen Gegenden der Stadt, der Märkerstrasse und Brunoswarte vor; vom 31. ab häufen sich die Erkrankungen und Todesfälle auch in anderen Theilen der Stadt und die Epidemie steigert sich schnell noch in der ersten Decade des August bis auf ihren Höhepunkt, auf dem sie bis Ende August verweilt. Während dieser Zeit schwankt die Zahl der täglichen Todten zwischen einigen über oder unter 40 und erreicht dreimal die Zahl 48 resp. 49. Mit den letzten Tagen des August nimmt sie schnell ab bis zum 21. September, wo nur ein Todesfall constatirt ist, und man gab sich schon der Hoffnung hin, dass sie verschwinden werde; allein nochmals nahm sie einen neuen Aufschwung, stieg bis zu 14 Todesfällen den Tag, und nahm dann im Laufe des October sehr langsam ab, um im November allmählig zu verschwinden. Auch im December zeigen sich noch einzelne Cholera-Anfälle und choleriforme Diarrhöen. Anfangs dieses Jahres erst ist die Krankheit nach meinen Wahrnehmungen s p u r l o s verschwunden.

Abgesehen von einigen Nachzügler-Fällen währt die Epidemie vom 19. Juli bis 16. November; während dieser Zeit sind 1505 Cholera-Todesfälle in Halle amtlich constatirt, nach der letzten Volkszählung eine Sterblichkeit von 3,29 %. Diese Todosfälle vertheilen sich nach den Monaten folgendermassen: es starben an der Cholera während des

Juli	12	Personen
August	1018	„
September	346	„
October	118	„
November	11	„

Die Steigerung und Abnahme der Epidemie ergiebt sich genauer aus folgender Zusammenstellung. Es kamen Todesfälle vor in der Woche

vom 19. Juli	bis 25. Juli	incl.	5.
„ 26. „	„ 1. Aug.	„	17.
„ 2. Aug.	„ 8. „	„	134.
„ 9. „	„ 15. „	„	268.
„ 16. „	„ 22. „	„	287.
„ 23. „	„ 29. „	„	262.
„ 30. „	„ 5. Sept.	„	177.
„ 6. Sept.	„ 12. „	„	101.
„ 13. „	„ 19. „	„	56.
„ 20. „	„ 26. „	„	32.
„ 27. „	„ 3. Oct.	„	66.
„ 4. Oct.	„ 10. „	„	48.
„ 11. „	„ 17. „	„	21.
„ 18. „	„ 24. „	„	15.
„ 25. „	„ 31. „	„	5.
„ 1. Nov.	„ 7. Nov.	„	9.
„ 8. „	„ 16. „	„	2.

Zur Constatirung der localen und zeitlichen Verbreitung der Epidemie in Halle habe ich mir eine besondere Tabelle mit Angabe sämmtlicher Todesfälle nach Zeit, Strasse und Hausnummer anfertigen lassen mit Beifügung der Einwohnerzahl jeder Strasse und Procentberechnung der Todten, welche den folgenden Untersuchungen zum Grunde gelegt ist.

Einen Tag später, als in Halle der erste Cholera-Todesfall statt hatte, erfolgte in der Straf-Anstalt der erste Erkrankungsfall der Epidemie, der am 23. tödtlich endigte, und dem sofort viele andere folgten. Noch im Juli hatte die Straf-Anstalt vier

Todesfälle. Auf der Straf-Anstalt hatte die Epidemie eigentlich nur eine Dauer von acht Wochen, indess kamen im spätern Verlauf des September und October noch einige Nachzüglerfälle vor, die jedoch glücklich endeten. Vom 20. Juli bis incl. 23. October erkrankten mit Einschluss aller Diarrhöen von circa 700 Sträflingen 333, d. i. 47,44 % der Bevölkerung; unter diesen Krankheitsfällen waren 71 heftige Cholerine- und 89 Cholera-Anfälle, von denen 33 (also 4,70% der Bevölkerung) tödtlich endeten.

Auch in Giebichenstein beginnt die Epidemie den 20. Juli und noch der Juli fordert in diesem hart heimgesuchten Orte 13 Opfer. Auch in Giebichenstein ist die Epidemie nach acht Wochen beinahe erloschen; im Ganzen starben an der Cholera 139 Personen, mithin über 5 % der Bevölkerung.

Von Halle und Giebichenstein verbreitet sich die Krankheit innerhalb der nächsten drei Monate fast über den ganzen Saalkreis, doch keineswegs gleichmässig. Es haben von den 135 Orten des Saalkreises 74 Orte Todesfälle gehabt und zwar:

13 Orte über 5 % der Bevölkerung

10 „ „ 3 „ „ „ und die

übrigen 51 „ unter 3 „ „ „

Hierzu kommt noch die Provincial-Irrenanstalt mit 18 Todesfällen incl. des Directors der Anstalt Herrn Geh. Med.-Raths Dr. Damerow und eines Wärters, etwas über 3 % der Bevölkerung.

Die befallenen Orte sind über den ganzen Saalkeis zerstreut zwischen solchen, die keine Todesfälle gehabt haben. Oft liegen zwei Orte, von denen der eine aufs heftigste, der andere aber gar nicht oder nur sehr wenig ergriffen ist, dicht bei einander. Die Krankheit verbreitet sich zum Theil sprungweise, nach keiner bestimmten Regel; indess kommen im Ganzen doch die Halle näher gelegenen Theile des Saalkreises etwas früher daran. Die Gesammtzahl der Todesfälle beträgt (excl. der Irrenanstalt) 1219, also 2,03 % der Bevölkerung des Saalkreises.

Die Anmeldungen der Erkrankungsfälle unterblieben in der Stadt auf der Höhe der Epidemie ganz, und auch aus dem Saalkreise sind dieselben so unregelmässig erfolgt, dass ich glaubte, sie am besten ganz unberücksichtigt lassen zu müssen.

Es war dies die fünfte Epidemie, welche Halle und dessen Umgebung heimsuchte; 1832, 1849, 1850, 1855 und 1866 und die bedeutendste von allen, wie sich aus folgender Statistik ergiebt.

In Halle starben an der Cholera:

1832 : Innerh. 6 Mon.   489 Pers. d. i. 1,96 % d. damal. Bevölk. v. 25,000 Seelen.
1849 :   „   10 „ 1193 „   „ 3,67 „ „   „   „   „ 32,000 „
1850 :   „   3 „   320 „   „ 0,97 „ „   „   „   „ 33,000 „
1855 :   „   2½ „   430 „   „ 1,23 „ „   „   „   „ 35,000 *) „
1866 :   „ ca. 4 „ 1505 „   „ 3,29 „ „   „   „   „ 45,700 „

Im Saalkreise starben an der Cholera:

1849 : 504 Personen, d. i. 1,12 % der Bevölkerung von ca. 45,000 Seelen.
1850 :   87   „   „ 0,19 „ „   „   „ „ 45,000 „
1855 :   54   „   „ 0,10 „ „   „   „ „ 51,000 „
1866 : 1219   „   „ 2,03 „ „   „   „ „ 60,000 „

Die Strafanstalt hatte:

1849 : 3 Cholera-Todesfälle, d. i. 0,80 % der Bevölkerung v. ca. 380 Seelen.
1850 : 6   „   „ 1,50 „ „   „   „ „ 400 „
1855 : 18   „ 1,80 „ „   „   „ „ 1000 „
1866 : 33   „ 4,71 „ „   „   „ „ 700 „

Allgemeines über die Entstehung und Einschleppung der Cholera.

Schon während des heissen, trockenen Sommers 1865 waren in der Bevölkerung von Halle Diarrhöen sehr verbreitet, und gegen die sonstige Regel dauerten dieselben auch im Winter

---

*) In meinem Bericht von 1855 habe ich die Zahl der Todesfälle pro 1855 nach den Anmeldungen der Aerzte auf 485 (1,39 % der Bevölkerung) angegeben, welche mit der Zahl des amtlichen Todtenregisters nach den Todtenzetteln um 55 differirte. Die Wahrheit möchte wohl in der Mitte liegen. Da mir aber für die übrigen Epidemien die Anmeldungen der Aerzte nicht zu Gebote stehen, überhaupt wohl nicht existiren, und die ganze übrige Statistik auf dem Register nach den Todtenzetteln beruht, habe ich hier der Gleichmässigkeit wegen dieser Zahl auch für das Jahr 1855 den Vorzug gegeben.

fort, steigerten sich namentlich im Februar und März und wurden dann wieder unbedeutender. Sie hatten den Charakter des einfachen Magen- und Darm-Catarrhs mit vorherrschendem Leiden des Dickdarms, häufige, kleine, schmerzhafte, schleimige, schleimig-blutige und in einzelnen schweren Fällen dysenterische Stühle. Unter diesen Diarrhöen zeigten sich schon im Herbst 1865 und dem folgenden Winter hin und wieder choleriforme Diarrhöen und selbst einzelne leichte Cholera-Anfälle; im Mai starb plötzlich ein Sträfling der hiesigen Straf-Anstalt an schnell tödtlicher Cholera, an demselben Tage auch ein junger Mensch in der Vorstadt Glaucha an „Brechdurchfall". Neben jenem tödtlichen Cholerafall zeigten sich in der Strafanstalt Cholerinen und Zunahme der Diarrhöen, doch beruhigte sich noch Alles wieder. In der Stadt kamen im Juni und Juli hier und da sporadische Cholera-Anfälle vor und die Diarrhöen wurden ein wenig häufiger.

Nach alter Anschauung könnte man aus dem geschilderten Verlauf der constitutio epidemica den Schluss machen, dass die Cholera-Epidemie das Product des seit 1865 herrschenden, sich plötzlich steigernden genius epidemicus gewesen sei. Aber wohl Niemand möchte jetzt noch annehmen, dass die Cholera hier zu Lande spontan, ohne vorhergegangene Einschleppung entstehe; ich glaube daher nicht nöthig zu haben, diese Ansicht weiter zu widerlegen. Wohl aber glaube ich mich aus dem geschilderten Krankheits-Charakter des vorangegangenen Jahres zu dem Schluss berechtigt, dass, gleichviel aus welchen Ursachen, in der Bevölkerung von Halle eine gesteigerte Empfänglichkeit für die Cholera vorhanden war, so dass eine mehrfache Einschleppung der Choleraschädlichkeit nicht ohne Folgen bleiben konnte.

Wie die Cholera im Jahre 1865 durch die Wallfahrer von Mecca nach Alexandrien verschleppt wurde und sich dann über einen grossen Theil von Europa verbreitete, ist bekannt. Anfang Juni erschien sie in Stettin und andern Orten der Ostseeküste; von hier wurde sie ohne Zweifel durch die Truppen nach Böhmen verschleppt, wo unter den Schrecknissen des Krieges sich alle Elemente zur Bildung von fruchtbaren Choleraheerden und zur Entwickelung eines kräftigen Keimes vereinigten. Durch die natürlichen Verhältnisse und namentlich durch das jetzt im Militair-Lazarethwesen herrschende System der Zerstreuung wurde wieder vielfache Gelegenheit gegeben zur Verschleppung vermittelst Truppen- und Verwundeten-Transporte in das ganze nördliche Deutschland. Auch ohne dies würde gewiss die Cholera ihre Wege von der Ostsee weiter in Deutschland fortgesetzt haben, aber es ist nicht zu zweifeln, dass der böhmische Krieg vorzugsweise zur schnellen und intensiven Verbreitung der Krankheit in den betreffenden Ländern beigetragen hat.

Was speciell Halle betrifft, so habe ich die Ueberzeugung, dass nicht ausschliesslich aber ganz vornehmlich die Cholera durch die Verwundeten, welche aus Böhmen kamen, massenhaft eingeschleppt worden ist. Meine Gründe für diese Ansicht sind folgende:

Die ersten Transporte Verwundeter aus Böhmen kamen am 7. Juli, denen immer wieder neue folgten, so dass alsbald alle Militair- und Civil-Lazarethe der Stadt und noch andere Räume von ihnen angefüllt waren. Als schon im Mai und Juni bei den grossen Truppendurchzügen die Lazarethe sich massenhaft mit kranken Soldaten füllten, herrschten unter diesen gastrisch-catarrhalische Zustände, aber ich sah unter den vielen hundert von mir behandelten kranken Soldaten, bei den ungünstigsten äusseren Verhältnissen, nur sehr wenige und unverdächtige Diarrhöen, und erinnere mich nur eines Falles von „Brechdurchfall" mit etwas verdächtigen Erscheinungen. Unter den von Böhmen kommenden Verwundeten dagegen, deren Gesundheits-Zustand im Uebrigen ein sehr befriedigender war, herrschten Diarrhöen und Cholerinen, in einzelnen Fällen sich bis zum Cholera-Anfall steigernd. Einzelne Leute sagten aus, dass von ihren Kameraden in Böhmen mehrere an der Cholera gestorben seien. Es war also unter diesen Truppentheilen bereits die Cholera, die später so grosse Verheerungen in der böhmischen Armee anrichtete, verbreitet. Gleich nach Ankunft der ersten Verwundeten-Transporte wurden Viele und successive immer Mehrere bei den Bürgern in Halle und auch auf dem Lande untergebracht. Es war daher eventualiter die Gelegenheit zu einer schnellen und massenhaften Verbreitung des Choleragifts in Halle, Giebichenstein etc. gegeben, vielmehr als wenn nur durch einzelne Reisende etc., gelegentlich etwa von Stettin, Berlin etc. die Krankheit eingeschleppt worden wäre. Nun war es mir sehr auffallend, dass gleich beim ersten Beginn der Epidemie das. ganze Medicinal- und Warte-Personal in den Militair-Lazarethen ergriffen wurde. Ein Krankenwärter nach dem andern wurde von stürmischer Cholerine oder Cholera befallen und musste in die Stadt entlassen und durch einen andern ersetzt werden. Die Lazarethgehülfen erkrankten, mehrere von ihnen und den Krankenwärtern starben; der Unterarzt, der eben das neue Militair-Lazareth bezogen hatte, musste beurlaubt werden, weil eine immer wiederkehrende Cholerine ihn in Lebensgefahr brachte. Auch unter den wenigen hier befindlichen Militairs trat die Cholera gleich zuerst mit auf; dies Militair hatte aber nur Dienst in den Militair-Lazarethen und der Strafanstalt, es war daher durch dasselbe eine Verbindung zwischen beiden Anstalten geschaffen. Da Tag und Nacht eine grosse Anzahl Soldaten auf der Strafanstalts-Wache befindlich ist, haben ohne Zweifel viele von diesen, wenn sie an Diarrhöe litten, ihre Ausleerungen in den Abtritten der Anstalt zurückgelassen. Besonders auffallend war mir noch dies, dass gerade die Verwundeten selbst, welche doch zuerst an verdächtigen Krankheits-Zuständen litten, später im Verhältniss zu den massenhaften Erkrankungen unter den Lazarethgehülfen und Krankenwärtern sehr wenig von der Cholera zu leiden hatten. Es stimmt dies vollständig mit den allgemein gemachten, noch neuerlich durch massenhafte Thatsachen von Seiten der internationalen Sanitäts-Conferenz bestätigten Erfahrungen überein, dass wenn eine grössere Anzahl von Menschen, welche aus einem inficirten Orte kommen, die Cholera an einen andern Ort verschleppen z. B. Schiffsmannschaften etc. diese selbst in viel geringerem Grade von der Krankheit betroffen werden, als die Bevölkerung der durch sie inficirten Orte. Es hat dies seinen Grund darin, dass die Menschen, welche kürzere oder längere Zeit an einem inficirten Orte dem Einfluss der Cholera-Schädlichkeit ausgesetzt waren oder gar die Krankheit in höherem oder geringerem Grade überstanden haben, für eine gewisse Zeit die Empfänglichkeit für dieselbe verlieren, gewissermassen geimpft sind. Wenn Schiffe von einem inficirten Orte abgehn, ihre Mannschaft mithin schon einige Zeit in Mitten eines Choleraheerdes gelebt hat, und die Cholera bricht auf einem solchen Schiffe aus, so bleibt sie jedesmal unbedeutend und viel unbedeutender, als in einem Schiffe, das von einem nicht inficirten Orte kommt, an einem inficirten anlegt, und von hier die Cholera empfängt. In den grossen Contumazlazarethen des ottomanischen Reiches, wo tausende, aus Choleraheerden kommende, der Contumaz unterstellte Personen oft unter den ungünstigsten Verhältnissen campiren, ist dennoch die Zahl der Erkrankungs- und Todesfälle ungleich geringer, als in der Bevölkerung des Ortes, welcher erst durch diese Ankömmlinge die Cholera erhalten hat. Es stimmt also diese allgemeine Erfahrung mit den hiesigen Wahrnehmungen und mit der von mir ausgesprochenen Vermuthung vollkommen überein, und erklärt zugleich die verhältnissmässig geringe Empfänglichkeit der Verwundeten in den Lazarethen.

Es bliebe nun noch die zweite Frage zu erörtern, warum gerade die Cholera zuerst und zugleich die genannten Strassen des Neumarkts, die Strafanstalt und Giebichenstein befallen hat. Ist es schon schwierig nachzuweisen, dass überhaupt wirklich, wie ich vermuthe, durch die Verwundeten aus Böhmen die Cholera eingeschleppt sei, so ist es noch viel schwieriger zu erklären, warum gerade in den genannten Oertlichkeiten die Krankheit zuerst und zugleich so massenhaft auftrat. Ich will mich hier über diese Frage weiter nicht in Hypothesen ergehen, werde aber gelegentlich später bei Besprechung der Einflüsse des Wassers und der Kanäle auf die Verbreitung der Krankheit nochmals darauf zurückkommen.

Boden- und Terrain-Verhältnisse.

Obwohl ich schon in meinem Cholerabericht von 1855 die Boden- und Terrain-Verhältnisse von Halle, Seite 11 und 19 ff. ausführlich beschrieben habe, gebe ich hier doch nochmal wegen der Wichtigkeit der Sache und zum Verständniss des Folgenden eine kurze aber genaue Beschreibung.

Die Stadt Halle zieht sich unmittelbar vom rechten Ufer

der Saale in östlicher Richtung an einem meist ziemlich flach ansteigenden und nördlich und südlich steil (etwa 40 bis 80 Fuss hoch) abfallenden Thalgehänge hinauf, dessen oberster Band den Anfang einer weithin sich ausbreitenden, zum norddeutschen Tieflande gehörigen Ebene bildet. Dies Terrain hat mithin die Form einer Mulde, welche da, wo die Stadt am Strohhof, der Clausthorgegend von der Saale begrenzt wird, nicht geschlossen ist. Uebrigens ist das Terrain innerhalb der Stadt sehr unregelmässig und zeigt verschiedene Erhebungen, welche zum Theil mit der in Halle sehr wechselnden geognostischen Unterlage zusammenhängen.

Der Untergrund der Stadt besteht theils aus einem Porphyrconglomerat, welches von vielen Spalten und Klüften durchsetzt und mit Grundwasser geschwängert ist, theils aus Braunkohle und zum geringeren Theile aus Zechsteinkalk und buntem Sandstein. Der ganze nordöstliche höher gelegene Theil der Stadt ruht auf dem Porphyrconglomerat, welches hier und da auch zu Tage tritt.

Die oberen Schichten, welche auf diesem Untergrund lagern, bestehen durchweg aus sandig-thonigen Schichten des Diluviums von verschiedener Mächtigkeit. Der verschiedenartige Untergrund (Braunkohle, Porphyr, Zechsteinkalk etc.) hat auf die Verbreitung der Cholera innerhalb der Stadt gar keinen Einfluss gezeigt. Von besonderer Wichtigkeit scheinen dagegen die undurchlässigen Thonlagen, welche sich über die ganze Stadt hinziehen und in verschiedener Tiefe, meist schon einige Fuss tief, zum Theil 8 bis 10 Fuss tief unter der Oberfläche angetroffen werden. Diese Thonschicht widersteht jedem Wasserandrang und alles Wasser, welches von oben eindringt, sammelt sich auf derselben an und strömt dahin, wo das Gefälle dieser Thonschicht sich hinneigt. Als etwas für die Bodenverhältnisse von Halle Bezeichnendes will ich noch hervorheben, dass noch bis vor 15 bis 30 Jahren in der Stadt viele kleine Teiche existirten, welche mit der Zeit zugeschüttet sind. Die Zuschüttung dieser Teiche hatte in einzelnen Fällen einen nachtheiligen Einfluss auf die benachbarten Häuser resp. Strassen, indem letztere mehr Grundwasser (Kellerwasser) bekamen, als sie vorher hatten.

Den möglichen oder wahrscheinlichen Einfluss dieser Boden-

und Terrain-Verhältnisse auf die locale Verbreitung der Cholera in der Stadt Halle im Sinne der Pettenkofer'schen „Beobachtungen und Untersuchungen über die Verbreitungsart der Cholera im Jahre 1854" (also noch abgesehen von der Grundwassertheorie) habe ich in meinem Bericht von 1855 (Seite 9 bis 10 und 18 bis 35) ausführlich besprochen. Ich verweise in dieser Beziehung auf diesen Bericht und füge nur hinzu, dass auch in dieser Epidemie die Cholera sich in Betreff ihrer localen Verbreitung in Halle, ganz ebenso verhielt wie in den Jahren 1849, 1850 und 1855. Ebenso wie in den früheren Epidemien sind wieder die Stadttheile „der Petersberg," der an der Saale gelegene Theil von Glaucha, namentlich „die Weingärten," „der Saalberg," „der Unterplan," „die Bäckergasse," ferner „der Strohhof" verhältnissmässig stark betroffen. ·

Während die durchschnittliche Sterblichkeit in Halle, wie wir sahen, nur wenig über 3% beträgt, stieg sie in diesen Stadttheilen bis zu 5, 6, 7, selbst 8% und darüber. Auf dem Petersberg gruppiren sich die vorzugsweise betroffenen Strassen und Häuser, namentlich die Häuser der Kapellengasse und des Unterberges, welche ich wegen ihrer interessanten Terrainverhältnisse in meinem Bericht pro 1855 (Seite 22 ff.) besonders ausführlich behandelt habe, wieder ganz ähnlich, wie in den früheren Jahren; namentlich haben die an einem kleinen Steilabhange gelegenen Häuser Nr. 19 bis 24 des Unterberges wieder verhältnissmässig die meisten Todten.

Eine Ausnahme auf dem Petersberg bildet nur der Weidenplan; hier finden wir die entgegengesetzten Verhältnisse, wie in den früheren Epidemien. Gerade diese Ausnahme ist aber interessant und lehrreich. Seite 25 meines Berichtes wird mitgetheilt, dass in dieser Strasse die Häuser Nr. 10 bis 18 in jeder Epidemie besonders stark gelitten haben, und dass sich dies durch die eigenthümlichen Terrainverhältnisse und namentlich dadurch erkläre, dass der Fahrweg 3 bis 5 Fuss höher liege, als das Parterre der fraglichen Häuser. Diesmal hat nur Nr. 11 zwei Todesfälle; die übrigen Häuser von 10 bis 18 sind frei (von Todesfällen) geblieben. Gerade hier sind aber auch die Terrain-Verhältnisse andere geworden; der Fahrweg ist abgetragen, so dass er jetzt etwas tiefer liegt, als das Parterre der

Häuser und zwar vor den Häusern Nr. 13 bis 18 schon längere Zeit vor Beginn der Epidemie, vor den Häusern Nr. 10 bis 13 erst im Laufe dieses Sommers, ob während oder nach der Epidemie weiss ich nicht.

Günstig stellt sich das Verhältniss wieder wie in allen früheren Epidemien auf dem Neumarkt, wo durchschnittlich die Sterblichkeit nur circa 2 % beträgt und noch günstiger auf dem neuen Stadttheil, der sogenannten „Lehmbreite,“ wo wohl kaum 1 % der Einwohner starben. Es ist dies besonders interessant, da gerade dieser Stadttheil vor einigen Jahren vorzugsweise heftig vom Typhus zu leiden hatte und ferner, weil er unmittelbar an das Waisenhaus (Francke'sche Stiftung) grenzt, welches mit seinen circa 600 Bewohnern wieder, nunmehr in der fünften Epidemie seine vollständige Immunität bewahrt hat. Diese Thatsache ist um so auffallender, da sich hier die meisten Schulen der Stadt befinden und deshalb zwischen der Anstalt und der Stadt der lebhafteste tägliche Verkehr besteht. Ueber die Gründe, welche diese merkwürdige Thatsache einigermassen zu erklären scheinen, habe ich mich in meinem Bericht von 1855 (Seite 34) geäussert. Ich habe jetzt nochmals einem Baumeister, der die örtlichen Grund- und Boden-Verhältnisse dort genau kennt, die Frage vorgelegt: ob er mir irgend etwas angeben könnte, wodurch sich der Boden dieser Oertlichkeiten vor dem der übrigen Stadt auszeichne? Er gab mir folgende interessante Antwort: Erstlich komme man schon 2 bis 3 Fuss tief auf die undurchlässige Thonschicht, welche in der übrigen Stadt und namentlich jemehr man sich der Saale nähere, durchschnittlich tiefer angetroffen werde. Zweitens hätten die Oertlichkeiten eine relativ hohe Lage, die einen leichtern Abfluss des Wassers und der Feuchtigkeit in der obersten Bodenschicht gestatte, um so mehr, da hier dichte Bauten dem Abfluss kein Hinderniss entgegenstellten. Auch wären die Umgebungen des Waisenhauses der Art, dass dem Grundstück von keiner Seite her Unreinlichkeiten von bewohnten Stätten, wie dies in dem übrigen, so eng gebauten Halle so vielfach der Fall sei, zugeführt werden könnten. Rechnet man dazu die günstige Lage der Abtritte, wie ich sie in meinem Bericht genau beschrieben habe, welche eine Verunreinigung des Grund und Bodens oder

der Wohnungen der Anstalt unmöglich machen, und das gute Wasser, welches die Anstalt von ausser der Stadt bezieht, hinzu, so lässt sich eine Uebereinstimmung dieser Thatsachen mit der Pettenkofer'schen Theorie nicht in Abrede stellen.

Die vollkommene Uebereinstimmung in der verschiedenen Empfänglichkeit der verschiedenen Stadttheile für die Cholera während vier, zum Theil fünf Epidemien (über die von 1832 kann ich keine vollständige Auskunft geben) ist jedenfalls in hohem Grade interessant, und kann nicht zufällig sein. Ich bin nach wie vor geneigt, sie hauptsächlich durch die Boden- und demnächst vielleicht durch die Wasser-Verhältnisse zu erklären, und verweise in dieser Beziehung zunächst auf meinen Bericht von 1855. Der wichtigste Einwand, welcher dieser Auffassung gemacht ist und gemacht werden kann, ist der, dass gerade in den schwerbetroffenen Stadttheilen das Proletariat überwiegend ist, und dies immer vorzugsweise stark betroffen wird; allein ich glaube nicht, dass in der That im Verhältniss zu andern Stadttheilen, z. B. dem Neumarkt und einigen Strassen desselben, das Verhältniss in dieser Beziehung ein anderes, resp. günstigeres ist; auch auf dem Strohhof, den Weingärten wohnen viele wohlhabende Leute mit den niedern Klassen gemischt; auch würde dadurch die Immunität der Francke'schen Stiftungen und die günstigen Verhältnisse in den einzelnen Stadttheilen, die jedenfalls auch Proletariat in sich schliessen, nicht hinlänglich erklärt sein.

Ueber die locale Verbreitung der Cholera im Saalkreise sind die mündlichen und schriftlichen Berichte im Ganzen unvollständig. Dennoch geht aus Allem hervor, dass auch hier, im Ganzen, wie im Einzelnen, in den einzelnen Orten locale Verhältnisse, nach meiner Ueberzeugung im Grund und Boden begründet, auf die Verbreitung von unverkennbarem Einfluss waren. Ich habe schon erwähnt, dass stark, schwach oder selbst gar nicht befallene Orte dicht bei einander lagen. Der Verkehr zwischen ihnen ist hier ein so inniger, dass man nicht annehmen kann, es sei zufällig die Krankheit in das eine Dorf verschleppt und in das andere nicht u. s. w. Es muss also etwas gewesen sein, was in dem einen Orte die Verbreitung der Krankheit begünstigte, in dem andern ihr hinderlich war.

2

Viele Orte an der Saale, welche zum Theil in der Niederung liegen, zum Theil am mehr oder weniger starkaufsteigenden Ufer heraufgebaut sind, haben vorzugsweise gelitten, wie Giebichenstein, Trotha, Croellwitz, Gimritz, Lettin, Brachwitz, Schiepzig, in geringerem Grade Wörmlitz und Böllberg. Die Orte an dem untern Theil der Götsche bilden eine ziemlich gleichmässig und stark ergriffene Gruppe.

In Coennern beschränkt sich die Epidemie bei 76 Todesfällen, nach dem Bericht des Dr. Dammann fast ausschliesslich auf einige Strassen; in Loebejün, das früher nur einzelne eingeschleppte Fälle oder einzelne Hausepidemien, diesmal aber 99 Todesfälle hatte, beschränkt sich die Krankheit vorzugsweise auf den tiefer gelegenen Stadttheil; auch in Wettin sollen, wie in allen früheren Epidemien, die tiefer gelegenen Stadttheile vorzugsweise stark und zuerst ergriffen sein. In Rosenfeld war die locale Verbreitung ganz übereinstimmend mit den Pettenkofer'schen Anschauungen. Rosenfeld bildet fast einen Ort mit Hohenthurm, letzteres liegt auf der Höhe und hatte nur vereinzelte Krankheitsfälle; Rosenfeld welches dagegen tief gelegen ist, wurde mehr als decimirt; die Sterblichkeit betrug über 11 %.

Besonders interessant sind auch die Terrain-Verhältnisse in Giebichenstein. Hier liegen fast alle stärker ergriffenen Strassen und Häusserreihen, mit einigen Ausnahmen, auf die ich noch kommen werde, theils wie in Gräben, theils in kleinen engen Thälern, Thalkesseln und an Bergen. Die allgemeinen Bodenverhältnisse sind übrigens hier ähnliche wie in Halle.

Auch in dem stark ergriffenen Morl sind die Terrain-Verhältnisse ähnliche.

Indessen kamen auch Ausnahmen von der Regel vor.

In Brachstedt, welches ich im September besuchte, wüthete die Cholera fast ausschliesslich im obern Theil des Dorfes auf felsigem Boden, in Häusern, welche von Fabrikarbeitern bewohnt wurden, während der tiefer liegende Theil des Dorfes, der auf Thon und Lehm stehen soll, nur einzelne Fälle hatte. Der Felsen war übrigens hygroscopisch und die Häuser hatten alle übrigen Requisiten, welche Pettenkofer verlangt; sie waren klein und eng, hatten enge Höfe, fast nur aus einer Mistgrube betesbend, letztere das Gefälle nach den Häusern etc. Der Cand.

med. Siebe, der dort die Praxis besorgte, glaubte, die Ursache dieser localen Beschränkung auf diesen Theil des Dorfes in dem Brunnen suchen zu müssen, welcher ausschliesslich von diesem Theil des Dorfes benutzt wurde. Er fand denselben mit organischen Substanzen arg verunreinigt. Nach Schliessung des Brunnens hörte nach seinem Bericht auch die Cholera auf.

In Giebichenstein sind gerade eine Gruppe Häuser stark heimgesucht, welche relativ ziemlich hoch und scheinbar gesund lagen. Die dort practicirenden Aerzte, Professor Dr. Vogel und Dr. Graefe erklären dies daraus, dass sämmtliche Häuser neu und erst kürzlich bezogen waren.

Merkwürdig ist die locale Beschränkung der Epidemie in der Irren-Anstalt mit gegen 500 Irren. An vielfacher Gelegenheit zur Einschleppung fehlte es nicht, indem theils Geisteskranke aus Choleraheerden kommend eingeliefert wurden, theils in den Familien der Wärter und Wärterinnen, welche in Halle und Giebichenstein wohnen, viele Erkrankungs- und Todesfälle vorkommen. Die Epidemie bricht nun — 4 Wochen später als in Halle — zuerst in der Abtheilung für Männer in Localitäten aus, wo früher Wechselfieber, dann granulöse Augenentzündungen und im Frühjahr 1866 bösartige Pneumonien epidemisch auftraten. Die Cholera beschränkt sich nun vollständig auf die Männerabtheilung, wo innerhalb 36 tägiger Dauer der Epidemie incl. eines Wärters 17 Personen starben. An Gelegenheit zur Einschleppung in die Frauen-Abtheilung hat es ebensowenig gefehlt, als auf der Männer-Abtheilung, auch herrschten dort während der Epidemie Diarrhöen, die mit ihr kommen und verschwinden, aber es kommt nicht zu ausgebildeten Cholerafällen, noch weniger zur Cholera-Epidemie.

Im Jahre 1850 verhielt sich die Sache umgekehrt. Damals blieb die Männerabtheilung ziemlich frei, dagegen wurde die Frauenabtheilung heftiger befallen. Damals waren aber die Terrain-Verhältnisse alle anders. Die Frauenabtheilung der Irrenanstalt war erst zur Hälfte fertig. Sie besteht jetzt, wie die Männerabtheilung, aus zwei grossen Gebäuden; das eine, derselben existirte 1850 noch nicht, und an dessen Stelle befand sich ein hoher Berg, der den Abfluss der Feuchtigkeit hemmte; bei Gelegenheit des Baues der zweiten Hälfte der Frauenabtheilung wurde dieser Berg nicht nur vollständig abgetragen, sondern das Terrain überhaupt dergestalt verändert, dass jetzt hier alle Feuchtigkeit nach allen Seiten hin einen vollkommenen freien und einen noch freiern Abfluss hat, als auf der Seite der Männerabtheilung.

Die allgemeinen Salubritätsverhältnisse dieser musterhaften Anstalt sind übrigens sehr günstige, die Bodenverhältnisse ähnliche, wie in einem Theil von Halle. Die ganze Anstalt liegt hoch auf einem Berge, auf „Felsen“, d. h. auf einem ähnlichen Porphyr, wie er in Halle angetroffen wird. Die Anstalt ist auf diesem Fels fundirt, aber in der über demselben gelegenen, ungleichmässigen, im Ganzen schwachen, porösen Schicht ist viel Feuchtigkeit (Grundwasser) vorhanden, dem seit einigen Jahren durch besondere Gräben und Canäle (von denen einer sich unter der Männerabtheilung hinzieht) Abfluss verschafft ist.

Grundwasser-Verhältnisse.

Erst später, nach dem Erscheinen meines Berichtes von 1855, trat Pettenkofer mit seiner bekannten Grundwasser-Theorie hervor, welche er sich aus einer allerdings grossen Menge von Beobachtungen gebildet hat, die er auch, gestützt auf vielfache fernere Ermittelungen, namentlich auch über das Verhältniss der Cholera zur wechselnden Bodenfeuchtigkeit in Indien, bis jetzt festhält und weiter ausgebildet hat. Diese Theorie ist in Kürze bekanntlich folgende: Vorausgesetzt, dass alle die früher besprochenen Bedingungen im Grund und Boden vorhanden sind, so sind ausserdem noch in diesem porösen Boden gewisse Grundwasser-Verhältnisse nötbig, wenn ein Ort Empfänglichkeit für die Cholera haben soll; nämlich die, dass der Boden in nicht zu grosser Tiefe Grundwasser enthält, und zweitens, dass dieses Grundwasser häufigen und erheblichen Schwankungen in seinem Stande unterworfen ist. In den späteren Aufsätzen (in der Zeitschrift für Biologie und in der Augsburger Allgemeinen Zeitung) definirt er noch den Begriff „Grundwasser“ zum Unterschiede von „Durchfeuchtung des Bodens“ näher so: „Grundwasser“ ist der Zustand, wo in der porösen Bodenschicht

die Luft durch das Wasser vollständig verdrängt ist; „Durchfeuchtung" wo Luft und Wasser noch nebeneinander bestehen.
Ich werde im weitern Verlaufe meines Berichtes diese Worte
in dem angegebenen Sinne gebrauchen. Ein relativ tiefer
Grundwasserstand, also völlige Trockenheit der obern Bodenschichten, ebenso wie ein constant zu hoher Grundwasserstand
z. B. Moorboden sollen dauernd oder zeitweise die Empfänglichkeit für Cholera herabsetzen, oder ganz aufheben; ein mittlerer
Grad von Feuchtigkeit, die „Durchfeuchtung" des Bodens in
porösen Bodenschichten, wo letztere sonst die nöthigen Bedingungen darbieten, der Ausbreitung der Cholera an einem
Orte Vorschub leisten. Namentlich soll der Zeitpunkt, wo nach
einem ungewöhnlich hohen Stande des Grundwassers (nach
einer unterirdischen Inuendation) das letztere sich wieder zu-
rückzieht, dieser Grad der Durchfeuchtung eintreten, und dies
der günstige Moment für die Entstehung einer Cholera-Epidemie
sein, vorausgesetzt, dass sie um diese Zeit eingeschleppt wird.
Er erklärt hieraus nicht nur die verschiedene Empfänglichkeit
für Cholera an verschiedenen Orten, sondern auch an einem
und demselben Orte zu verschiedenen Zeiten, welche stets die
Aufmerksamkeit der Beobachter auf sich gezogen hat. So verhielt es sich namentlich in München und vielen anderen Orten
Baierns im Cholerajahre 1854.

Im Wesentlichen sind nun die Grundwasserverhältnisse in
Halle ganz so, wie sie Pettenkofer verlangt. Ein eigentliches
„Grundwasser" im Sinne der Brunnenmacher hat Halle überhaupt nicht, sondern nur „Schicht- und Schwitzwasser." Schon
über der undurchlässigen Thonlage, welche sich über ganz Halle
erstreckt, kann sich je nach den localen Niederschlägen etc.
Grundwasser im Pettenkoferschen Sinne bilden. Zwischen den
mächtigen Thon- und Lehmlagern über der Braunkohle etc. finden sich in Zwischenräumen von einigen Fuss etwa $1/4$ bis $1/2$
Fuss hohe Kiesschichten, welche, je nachdem die Jahre feucht
oder trocken sind, Wasser führen; und in demjenigen Theil
der Stadt, welcher auf Porphyr ruht, ist Letzterer von oben bis
tief herab in seinen Spalten und Klüften mit porösem Erdreich
und Wasser erfüllt, welches in die Brunnen „ausschwitzt" und
an den betreffenden Oertlichkeiten das Brunnenwasser giebt.

In den oberen Schichten ist immer ein grosser Wechsel vorhanden, bald sind sie mehr trocken, bald mehr oder weniger durchfeuchtet und grundwasserhaltig. Die hallischen Brunnen enthalten meist nur das Schicht- und Schwitzwasser, welches aus den oberen Bodenschichten in die mehr oder weniger tiefen Brunnen in grösseren oder geringeren Mengen einsickert. Pettenkofer bestimmt nun in München und anderwärts den Stand des Grundwassers nach dem Stande der Brunnen. Dies passt aber für Halle aus den angeführten Gründen nicht; unsere Brunnen sind meist nur mehr oder weniger tiefe Reservoire, in denen sich das Schicht- und Schwitzwassser aus den verschiedenen Schichten ansammelt. Der Stand der Brunnen giebt uns hier immer nur annähernd den Wassergehalt des Bodens in den verschiedenen Bodenschichten im Allgemeinen an, nicht aber einen „Stand des Grundwassers." Ueberhaupt sind die ganzen Boden- und Grundwasserverhältnisse in Halle und der Umgegend höchst complicirt und oft auf ganz kleinen Räumen sehr wechselnde. Deshalb sind Untersuchungen der Art im Pettenkofer'schen Sinne überhaupt hier schwierig; was ich darüber habe ermitteln können, ist Folgendes: Ich habe schon seit circa 8 bis 9 Jahren auf der Straf-Anstalt regelmässig wöchentlich einmal Messungen in vier Brunnen anstellen lassen und diese aufnotirt. Drei dieser Brunnen sind tief in den Porphyr hineingearbeitet, enthalten also das Schwitzwasser aus dem Porphyr; ein vierter ist, lediglich behufs der Messungen, im Lazarethkeller angelegt; er geht nur bis auf den Porphyr, giebt also über den Wassergehalt der oberen Bodenschichten Auskunft. Ich will ihn, der Kürze halber, den Lazarethbrunnen nennen. Er ist im Ganzen, von der Oberfläche des Erdbodens an gerechnet, 16 bis 17 Fuss tief; wenn sich in ihm das Wasser über circa 7 Fuss erhebt, was jedoch selten ist, steht es erst au niveau mit der ersten undurchlässigen Thonschicht. Es wird also wohl meist durch das von den obern Schichten herabsickernde Wasser und vielleicht von unten durch das Schwitzwasser des Porphyr gefüllt.

Die Messungen in den drei andern Brunnen mussten leider während der Cholerazeit eingestellt werden, weil sie wegen Abänderung der Wasserleitung ungewöhnlich in Anspruch genommen werden mussten und fast leer gepumpt wurden. Ich kann aber versichern, dass seit dem Sommer 1865 ihr Wassergehalt ein relativ sehr geringer war. Diese Brunnen haben, so lange ich sie messe, jedesmal im Frühjahr (zwischen Februar und April) ihren höchsten Stand, der überhaupt ein sehr schwankender ist. Dies war nun auch in diesem Frühjahr der Fall; dieser relativ höchste Stand war aber so niedrig, wie noch in keinem früheren Jahre. Mit diesen meinen Beobachtungen stimmen auch die von Andern gelegentlich gemachten Beobachtungen überein. Der Lazarethbrunnen, der also über die obern Schichten Auskunft giebt, hatte im Frühjahr 1865 nach dem enormen Schneefall Ende März und dem darauf folgenden Thauwetter ziemlich den höchsten Stand, den er überhaupt gehabt hat, etwa 11 Fuss, und fiel während des trockenen Sommers schnell zu dem niedrigsten Stand, den ich an ihm beobachtet habe. Seit Anfang des Jahres 1866 bis zum Ausbruch der Cholera hatte er einen Stand von 2 Fuss mit kaum merklichen Schwankungen. Fast um dieselbe Zeit, als die Cholera beginnt, fängt er in Folge der vorangegangenen Regengüsse (welche ihren Einfluss immer erst ein bis zwei Wochen später auf diesen Brunnen zu äussern pflegen) an zu steigen, erreicht 4 Fuss fast um dieselbe Zeit, wo die Cholera-Epidemie ihren Höhepunkt hat, hält sich auf diesem Stande bis Ende August, eben so lange, wie die Cholera-Epidemie auf ihrer Höhe sich hält. In Bezug auf das Steigen der Brunnen finden also bis hierher gerade die entgegengesetzten Verhältnisse statt, welche Pettenkofer voraussetzt; statt eines ungewöhnlich hohen Standes des Grundwassers, geht eine fast ein Jahr lang anhaltende ungewöhnliche Trockenheit der oberen Bodenschichten der Cholera-Epidemie voran; statt dass die Cholera-Epidemie steigt, während die Brunnen sinken, steigen beide gleichmässig. Von nun an ändert sich der Sachverhalt, und das Verhältniss zwischen dem Steigen und Fallen der Epidemie und des Brunnens wird das umgekehrte, so wie es Pettenkofer verlangt. Der Brunnen steigt noch bis Mitte September um einen halben Fuss (für diesen Brunnen ein mittlerer Stand), die Cholera-Epidemie sinkt und scheint erlöschen zu wollen; da fällt der Brunnen wieder um circa 1½ Fuss und die Epidemie nimmt einen neuen

Aufschwung; der Brunnen sinkt noch sehr langsam und hält sich dann mit geringen Schwankungen auf seiner Höhe von 2½ Fuss und die Cholera nimmt im October nur sehr langsam ab. Im Januar dieses Jahres (1867) haben alle Brunnen im Porphyr einen für die Jahreszeit ganz ausserordentlich hohen Stand; auch der Lazarethbrunnen steigt bis auf 7 Fuss (noch nicht der höchste Stand, den ich beobachtet habe) und jetzt verschwindet jede Spur der Cholera.

Es würde nach meiner Ueberzeugung sehr unrichtig sein, wegen der anfänglich bestehenden Widersprüche der hier beobachteten Erscheinungen mit Pettenkofers Grundwasser-Theorie, die ganze Sache ohne Weiteres zu verwerfen, denn die Thatsachen, auf welche Pettenkofer sie gründet, sind zu massenhaft, als dass nicht etwas Wahres daran sein sollte. Zunächst folgt nur daraus, dass der Satz, die Cholera-Epidemie müsse immer in die Zeit fallen, wo nach ungewöhnlich hohem Stand das Grundwasser sinke, für Halle nicht zutrifft; darum kann er für andere Oertlichkeiten doch gültig sein. Ausserdem aber fragt es sich, ob nicht auch derselbe Grad der Durchfeuchtung der betreffenden Bodenschichten bei manchen Bodenarten ebenso gut entstehen kann zur Zeit, wo das Grund- resp. Schichtwasser, also hier über der Thonlage, sich bildet; also in der Periode, welche einem hohen Stande des Grundwassers vorangeht. So lange diese Schicht durch die vielen Regengüsse im Juli und August nur durchfeuchtet wird, ohne dass die Luft durch das Wasser noch völlig verdrängt ist, ist eben auch in dieser Periode der Zustand der Durchfeuchtung vorhanden, welchen Pettenkofer voraussetzt. Endlich, Ende August, sammelt sich auf der Thonschicht immer mehr Wasser an, es kommt vielleicht im Pettenkofer'schen Sinne zur Bildung wirklichen „Grundwassers" und dies wirkt hemmend auf die Entwickelung der Cholera; in der zweiten Hälfte des September bei anhaltend trockenem Wetter geht der Process wieder rückwärts; das Wasser sinkt und die Epidemie nimmt noch einmal zu. Im Januar, wo wieder viel, sogar ungewöhnlich viel Grundwasser vorhanden ist, verschwindet jede Spur. Ob ein solcher Zusammenhang wirklich existirt, kann nach dieser einen Beobachtung noch nicht entschieden werden; wir müssen weitere

Beobachtungen abwarten, ob sich Aehnliches regelmässig wiederholt. An Gelegenheit wird es leider voraussichtlich nicht
fehlen. Bei Besprechung der Witterungs-Verhältnisse werde
ich nochmals auf diesen Gegenstand zurückkommen.

Ueber das Verhalten des Grundwassers in den einzelnen
Orten des Saalkreises habe ich gar keinen Aufschluss erhalten
können.

Einfluss des Fluss- und Brunnen-Wassers.

Wie nach Pettenkofer'scher Anschauung wesentlich durch
Vermittelung des Grund und Bodens, auf welchem wir wohnen,
die Verbreitung des Choleragifts geschieht, vertritt nach einer
andern Ansicht diese Rolle das Wasser. Es geht diese Ansicht
von den Engländern aus und namentlich von Snow, welcher
eine so grosse Menge von schlagenden Thatsachen für dieselbe
aufstellt, dass man sie nicht ohne Weiteres verwerfen kann.
Ich sehe auch nicht ein, warum ein schädlicher Stoff, welcher
durch den Grund und Boden, durch die Bewegung der Feuchtigkeit in demselben verbreitet wird, nicht auch gelegentlich
und unter besonderen Verhältnissen durch das Fluss- und Brunnenwasser verbreitet werden soll, welches ja in allen Formen
in innigster Beziehung zum Grund und Boden steht. Nur
muss man, glaube ich, dabei folgende Gesichtspunkte fest-
halten:

1. Im Wasser selbst erzeugt sich nicht das Gift, sondern
das Wasser empfängt es nur von aussen und ist nur der ge-
legentliche Träger und Verbreiter desselben.

2. Wenn fliessendes Wasser das Krankheitsgift von aussen
aufnimmt, so wird Letzteres ohne Zweifel schnell so verdünnt,
oder auch abgesehen von der Verdünnung, die Lebensfähigkeit
desselben im Wasser schnell so zerstört, dass selbst bei anhal-
tendem Zufluss doch immer nur ein sehr beschränkter Theil
des Flusses oder Baches eine schädliche Wirkung zu entfalten
vermag. Ist ferner die Verunreinigung eines fliessenden Wassers oder eines Brunnens nur eine vorübergehende so kann auch
die schädliche Wirkung des Wassers nur eine schnell vorüber-

gehende sein; es ist daher nicht a priori unmöglich, dass das Wasser eines und desselben Brunnens etc., welcher von Vielen benutzt wird, doch nur auf Einige in erheblicher Weise nachtheilig wirkt, welche gerade in dem geignetsten Moment das Wasser aus ihm schöpfen.

4. Eventualiter ist es nicht nöthig, dass das Wasser gerade genossen werden muss, um schädlich zu wirken; ist es einmal der Träger des Krankheitsgiftes, so kann es ebenso wie jeder andere Träger desselben, z. B. die Choleradejectionen selbst oder die inficirte Mistjauche, indirect seine Wirkung, durch Mittheilung an die Luft, in den Grund und Boden etc. etc. entfalten.

Es ist meine Aufgabe, in diesem Bericht möglichst objectiv alle Beobachtungen mitzutheilen, welche zur Lösung der schwebenden Fragen geeignet scheinen, ich werde deshalb hierunter ohne alle weitere Kritik diejenigen Thatsachen zusammenstellen, welche es mehr oder weniger möglich oder wahrscheinlich erscheinen lassen, dass während der vergangenen Epidemie die Cholera durch das Wasser Verbreitung gefunden habe und überlasse es dem Leser, sich selbst sein Urtheil zu bilden.

1. Noch zur Zeit, als die Epidemie herrschte, schöpfte die Wasserkunst, welche das Saalwasser als sogenanntes „Röhrwasser" in den älteren Theil der Stadt verbreitet, an einer Stelle der Saale, wo sie eben allen Unrath aus den Kloaken der Stadt und neuerlich auch aus den Abtrittsgruben der Universitäts-Lazarethe aufgenommen hat. In meinem Bericht von 1855, S. 37 theilte ich schon mit, dass in der 1855 grassirenden Epidemie sich die Krankheit wochenlang vorzugsweise auf den Theil der Stadt beschränkte, welcher durch jene Wasserkunst mit „Röhrwasser" gespeist wird. Diesmal ist dies zwar nicht der Fall, betrachtet man indess die mir vorliegende Tabelle der Krankheits- und Todesfälle nach den Strassen etc. genauer und sieht von den genannten Strassen des Neumarkts ab, wo die Epidemie ausbrach, so ergiebt sich doch, dass in diesem vom Röhrwasser gespeisten Theile der Stadt durchschnittlich die Todesfälle sich etwa eine Woche früher häuften, als in den anderen Theilen der Stadt; doch ist dieser Unterschied kein so durchgreifendere als damals.

2. Die Strassen und Häuser des Neumarkts, in welchen die Epidemie ausbrach, die Straf-Anstalt und Giebichenstein bilden zusammen eine Continuität von Oertlichkeiten, welche sich am rechten Ufer der Saale, vom Neumarkt stromabwärts, hinzieht. In der Nähe der zuerst ergriffenen Strassen des Neumarkts hat die Saale alle Unreinlichkeiten der Stadt und auch die Cloakenflüssigkeiten der Militair- und Universitäts-Lazarethe aufgenommen, welche ihre Flüssigkeiten durch Röhren in die Saale absickern lassen; eine Einrichtung, welche erst nach der letzten Epidemie von 1855 eingetreten ist. Eventualiter würde also an dieser Stelle die Saale aus erster Hand das Choleragift in Masse erhalten haben können. Es ist aber anzunehmen, — von der Strafanstalt, wo damals noch die alte Wasserleitung bestand, ist dies gewiss — dass die Einwohner der genannten Oertlichkeiten wenigstens theilweise Wasser zu den verschiedensten Zwecken unmittelbar aus der Saale schöpfen werden, obwohl, worauf ich noch kommen werde, gerade der Neumarkt für die gewöhnlichen wirthschaftlichen Zwecke sein eigenes Wasser (das sogenannte Wietschkenwasser) hat.

Ueberhaupt ist es auffallend, dass viele unmittelbar an und namentlich an dem der Stadt zugekehrten Ufer der Saale gelegenen Häuser auffallend viel Choleratodte haben. Ausser dem schon genannten Theil von Glaucha, dem Strohhof, z. B. die Kuttelpforte mit 7,01 %, Moritzkirchhof mit 4,20 % an der Moritzkirche mit 11 %, Moritzthor mit 4 % u. s. w.

3. Der Neumarkt hat sein eigenes Röhrwasser, das sogenannte Wiestschkenwasser, welches nicht gut aussieht, aber allgemein in dem Ruf eines relativ guten Wassers steht und der Neumarkt hat, wie wir gesehen haben, in jeder Epidemie verhältnissmässig wenig gelitten. Als die Epidemie schon im Erlöschen war (Ende October) nahm sie plötzlich auf dem Neumarkt einen gewissen Aufschwung; Haus bei Haus zeigten sich wieder Cholerine und Cholera-Anfälle; da ich dort viel zu thun habe, fiel mir diese Erscheinung so auf, dass ich mich nach den möglichen Ursachen erkundigte und hörte nun, dass seit 8 bis 14 Tagen die Röhrleitung entzwei sei und ausgebessert werde, und die Leute daher genöthigt seien, ihr Wasser zum

grossen Theil direct aus der Saale zu schöpfen und zwar gerade an der am meisten verunreinigten Stelle der Saale.

4. Nochmal muss ich darauf aufmerksam machen, dass das Waisenhaus sein eigenes Wasser hat, welches durch einen Röhrenstrang von ausserhalb der Stadt bezogen wird, und seit alter Zeit in dem Ruf eines besonders gesunden Wassers steht. Auch die Einwohner der sogenannten „Lehmbreite," wo die Cholera so auffallend wenig verbreitet war, bedienen sich vorzugsweise eines sehr guten Wassers, welches vom Bahnhof stammt.

5. Endlich erinnere ich nochmals an den Brunnen in Brachstedt, welcher nach der Ansicht des Cand. med. Siehe der Ursprung der sehr beschränkten aber mörderischen Epidemie in Brachstedt gewesen sein soll, nach dessen Schliessung die Epidemie sofort aufhörte.

Ehe ich diesen Gegenstand verlasse, will ich noch eine Beobachtung mittheilen, welche von dem Herrn Stadtbaumeister Herschenz herrührt. Gerade als die Epidemie im Beginn war, wurde die oft erwähnte Wasserkunst mit einer neuen Röhrenleitung versehen, vermittelst deren jetzt die Wasserkunst das Wasser aus einem nicht verunreinigten Arm der Saale schöpft und in die Stadt vertheilt. Es waren deshalb gerade an der Stelle, wo die Saale eben allen Kloakenstoff der Stadt aufgenommen hat, Arbeiter auf einem Kahn beschäftigt. Herr Baumeister Herschenz versichert nun, dass alle diese Leute, Meister und Arbeiter, successive von der Cholera befallen seien; jeder folgende Arbeiter, der den vorher erkrankten ersetzte, verfiel diesem Schicksal.

Auffallend ist es mir von jeher gewesen, dass fast in allen Orten und Gegenden, wo die Cholera nicht haftet, ein gutes Trinkwasser gefunden wird und überall, wo die Cholera oft und heftig auftritt, wie in Halle, über schlechtes Wasser geklagt wird.

Häuser und Wohnungen.

Gelegentlich habe ich wiederum, wie in den früheren Epidemien wahrgenommen, dass eine schlechte Anlage der Abtritte, so dass von den Gruben aus der Untergrund der Häuser, zumal wenn sie keinen Keller haben oder bei schlechter Ventilation die Luft in den Wohnungen durch Vermittelung der Abtrittsröhren enger Treppenhäuser etc. verunreinigt wurde, dies der Verbreitung der Krankheit in den Häusern Vorschub leistete. Oefter kam es vor, dass in grossen Häusern die sogenannten „herrschaftlichen Wohnungen" bei den sonst günstigsten Verhältnissen mehr heimgesucht wurden, als die Hofwohnungen, welche sammt ihren Bewohnern die bei weitem ungünstigeren Verhältnisse darboten, und ich konnte dafür keinen andern Grund finden als den, dass die „herrschaftlichen Wohnungen" Abtrittsröhren hatten, durch welche die Gase der schlecht ventilirten Grube in die Wohnung emporstiegen. Besondere detaillirte Studien über die einzelnen Häuser, wie im Jahr 1855, habe ich indessen nicht gemacht, theils weil mir Zeit und Gelegenheit fehlten, theils weil ich mir nichts Erspriessliches und Neues davon versprechen konnte. In Rücksicht auf meinen Bericht von 1855 will ich nur bemerken, dass unter sämmtlichen Häusern, welche dort (S. 27 ff.) als solche aufgeführt und beschrieben sind, welche in jeder Epidemie Todesfälle hatten (mit Ausnahme des Hauses „grosser Sandberg" Nr. 6), keines ist, welches in der vergangenen Epidemie nicht mindestens einen Todesfall gehabt hätte, einige zeichneten sich wieder durch eine hohe Zahl von Todesfällen aus.

Ganz besonders aber hat sich auch in dieser Epidemie wiederum gezeigt, dass, wo sonst die nöthigen Bedingungen gegeben sind, nichts so sehr der Krankheit Nahrung giebt, als enge, unreinliche, schlecht ventilirte, mit Menschen überfüllte Bäume; um so mehr, da mit diesen Umständen auch Armuth, Noth, Elend, Unsauberkeit, Vernachlässigung der Gesundheit, Mangel an Pflege und ärztlicher Hülfe zusammentrifft; die nothwendige Folge davon ist, dass das Proletariat caeteris paribus ganz vorzugsweise zu leiden hat; das war denn auch in dieser Epidemie der Fall; darüber stimmen die Wahrnehmungen in Halle und fast alle Berichte aus dem Saalkreise überein. In den meisten Häusern, in welchen sich die Erkrankungs- und Todesfälle ungewöhnlich anhäuften, waren diese Verhältnisse die Ursache.

Da diese Anhäufung von Erkrankungs- und Todesfällen

namentlich auch für die ganze Lehre von der Contagiosität von grosser Wichtigkeit ist, so lasse ich hier folgende Statistik aus der Stadt Halle folgen.

Drei Todesfälle und mehr hatten im Ganzen 139 Häuser. Davon haben:

1 Haus	. . .	16	Todesfälle.
1 „	. . .	13	„
2 „	. . .	9	„
1 „	. . .	8	„
3 „	. . .	7	„
9 „	. . .	6	„
18 „	. . .	5	„
38 „	. . .	4	„
66 „	. . .	3	„

in Summa 139 Häuser mit 570 Todesfällen.

Wenn man annimmt, dass Halle circa 2700 bewohnte Häuser hat, so kommen auf circa $\frac{1}{20}$ aller Häuser circa $\frac{8}{20}$ aller Choleratodesfälle. In den meisten der Häuser, welche eine sehr hohe Zahl von Todten hatten, ist auch die Zahl der dort wohnenden Familien gross (zwischen 10 und 20 Familien und darüber) und diese scheinen meist sogenannte kleine Leute oder Proletarier zu sein.

Von vielen Aerzten ist die Wahrnehmung gemacht, und ich kann sie auch bestätigen, dass häufig gerade in neuen, frisch gebauten und bezogenen Häusern die Cholera besonders heftig auftrat.

Sehr günstig dagegen scheint sich das Verhältniss caeteris paribus in den Häusern gestaltet zu haben, welche nach allen Seiten hin frei liegen z. B. in den Privat-Landhäusern vor dem Kirchthor und am Anfang der Burgstrasse in Giebichenstein.

Ob das Parterre und die Kellerwohnungen mehr gelitten haben als die oberen Stockwerke, darüber fehlen mir sichere Unterlagen; oft genug fand ich die Cholera auch in den höchsten Stockwerken unter dem Dach und wie ich höre, soll auch die Familie des Thürmers auf dem Marktthurm von der Krankheit heimgesucht worden sein.

Beiläufig will ich bemerken, dass wenn man die Dauer der Epidemie in einem Hause von dem ersten bis letzten Todesfall rechnet, diese durchschnittlich viel länger war als in den früheren Epidemien. Nur etwa bei einem Drittel der Häuser, welche mindestens 3 Todesfälle hatten, liegen nur höchstens 14 Tage zwischen dem ersten und letzten Todesfall; bei zwei Dritteln mehr, zum Theil weit mehr, bis 80 Tage und darüber.

Die Strafanstalt.

Seit dem Jahre 1855 sind nur einige unwesentliche Aenderungen in den baulichen Einrichtungen vorgekommen, hierher gehört namentlich die Verlegung der gemeinsamen Kothgruben. Letztere lagen früher an der Giebelseite jedes Flügels, sie sind seitdem von dort in eine gewisse Entfernung der Gebäude verlegt. Als Kübel werden ausschliesslich nur Zinkeimer benutzt. Diese neuen Einrichtungen scheinen gar keinen Einfluss ausgeübt zu haben. Wieder, wie in den früheren Epidemien, war die Krankheit ziemlich gleichmässig in allen Räumen vertheilt, nur der Flügel C lieferte wieder etwas mehr Erkrankungsfälle, als die anderen Flügel. Höchst auffallend war wiederum die Immunität der Beamtenwohnungen. Unter den in der Anstalt selbst wohnhaften Familien erkrankten und starben nur zwei Personen, zwei alte Leute, welche im Centralgebäude der Anstalt wohnten; sonst kamen hier gar keine erheblichen Erkrankungsfälle in den Familien vor. Noch günstiger gestaltete sich das Verhältniss in den ausserhalb, aber neben der Anstalt, zwischen der Anstalt und Giebichenstein gelegenen Beamtenhäusern mit ihren 22 zum grossen Theil kinderreichen Familien. Nur in zwei dieser Familien kamen erhebliche Erkrankungsfälle vor; in der einen nur Cholerine, in der andern zwei Cholera-Anfälle; alle verliefen glücklich. Beide Familien wohnten parterre auf einem und demselben Flur und klagten, dass sie in ihren Kellern häufig einen übeln Geruch bemerkt hätten, welcher von der durch die Anstalt gehenden Kloake herstammte, in welche Stichkanäle münden, die zur Trockenlegung der Keller angelegt sind. Diese Immunität der Beamtenhäuser, die sich nun in jeder Epidemie geltend gemacht hat, ist um so auffallender, da, wie gesagt, diese Häuser an Giebichenstein grenzen, das in so hohem Grade von der Epidemie gelitten hat. Die zunächst gelegenen Häuser Giebichensteins, lauter freigelegene Landhäuser wohlhabender Privaten, sind übrigens ebenfalls frei geblieben. Bemerken will ich noch, dass in diesen Häusern die Abtritte so angelegt sind, dass die Häuser und Wohnungen von hier aus in keiner Weise influirt werden können.

Diese Epidemie war unter den Sträflingen noch verbreiteter als die von 1855, besonders aber viel mörderischer, worauf ich nochmal zurückkommen werde. Von dem ersten Tage ab war die Krankheit gleichmässig über sämmtliche Flügel und Localitäten der Anstalt verbreitet, das Gift kann daher nicht wohl durch einen einzelnen Kranken, etwa einen neu eingelieferten Gefangenen eingeschleppt sein, was anzunehmen ohnehin kein Grund vorliegt, sondern es musste gleich in grossen Mengen und in solcher Form in die Anstalt eingeführt sein, dass es sich sofort allgemein verbreiten oder wenigsten auf viele zugleich einwirken kounte. Ich hielt es daher für meine Aufgabe, noch einmal nachzuforschen, ob ich irgend einen Umstand in den Localitäten der Anstalt wahrnehmen könnte, welcher diese Erscheinung erklären könnte. Im Jahre 1865 und schon früher hatte ich bemerkt, dass ein schlechtes, verdorbenes Trink- und vielleicht auch Kochwasser eine erhebliche Verschlechterung des Gesundheitszustandes auf der Anstalt, namentlich Disposition zu Diarrhöen erzeugt hatte. Es lag daher nahe, daran zu denken, dass auch das Wasser zur Verbreitung der Krankheit beigetragen haben könnte.

Die alte Wasserleitung von der Saale, welche das allerschlechteste und unreinste Wasser aus der Saale der Anstalt zuführte, bestand damals noch; indess wurde dies Wasser weder zum Kochen, noch zum Trinken benutzt. Das Trinkwasser war damals schon vor Verunreinigung mit Saalwasser (was früher nicht der Fall war) geschützt und wurde filtrirt. Zum Kochen wurde Wasser aus einem andern Arm der Saale, wo das Wasser nicht von den städtischen Kloaken verunreinigt ist, express geholt und benutzt. Eventualiter kann daher das unreine Wasser der alten Wasserleitung nur sehr indirect zur Ausbreitung des Krankheitsgiftes beigetragen haben. Die neue

Wasserleitung kam übrigens, beiläufig bemerkt, Ende August in Gebrauch.

Ich verfiel endlich noch auf den Gedanken, dass möglicherweise die Verbreitung des Krankheitsgiftes durch die unter der Anstalt befindlichen Kanäle könnte bewirkt sein.

Die Sache verhält sich nämlich folgendermassen: Unter den Souterrains der sämmtlichen Flügel und Räume der Anstalt ziehen sich kleine Kanäle hin, welche ursprünglich zu dem Zwecke angelegt sind, die Souterrains trocken zu legen, später aber zugleich benutzt worden sind, sämmtliche Abgänge (mit Ausschluss der Excremente aus der Anstalt, namentlich die Abgänge aus der Küche und den Werkstätten aufzunehmen und abzuführen. Hier und da, namentlich in der im Souterrain befindlichen Anstaltsküche, sind noch kleine Senkgruben angebracht zur Ansammlung der festen Bestandtheile. Von hier aus wird oft ein widerlicher Geruch in den Souterrains der Anstalt verbreitet.

Diese Kanäle stehen sämmtlich unter sich und mit einem Kanal, der vom Lazareth kommt und zu denselben Zwecken benutzt wird und ferner mit der Hauptkloake der Anstalt in Verbindung. Letztere nimmt auch Kloaken der Stadt auf, welche schon mit allen möglichen faulenden Zersetzungsstoffen, zum Theil auch per fas et nefas mit Excrementstoffen erfüllt sind, und geht überwölbt durch das ganze Grundstück der Anstalt. Ferner stehen wieder diese Kloake, sowie indirect alle Kanäle mit sämmtlichen Kothgruben der Anstalt in Verbindung, indem letztere ihre Flüssigkeiten, theils direct, theils indirect durch Vermittelung der beschriebenen kleinen Kanäle in die grosse Kloake absickern lassen. Diese kleinen Kanäle sind in den Souterrains theils mit Steinen, theils nur mit Brettern bedeckt, haben hier und da Oeffnungen behufs der Reinigung, oder stehen selbst durch Oeffnungen und Röhren zur Aufnahme der Abgänge aus der Küche und den Werkstätten mit diesen Räumen in directer Communikation. Es ist also vielfach die Möglichkeit gegeben, dass die Luft und die Gase aus den Kanälen in die Räume der Anstalt dringen. In den Souterrains befinden sich zum Theil die gemeinsamen Arbeitssäle. Es ziehen sich also diese Kanäle wie ein Adersystem unter der Anstalt hin und es sammeln sich, der Natur der Sache nach, in ihnen massenhaft alle Gase an, welche aus den sich zersetzenden Stoffen und aus den Kothgruben stammen. Giebt man daher überhaupt die Möglichkeit resp. Wahrscheinlichkeit zu, dass durch Vermittelung des Grund und Bodens, worauf die Gebäude stehn, der Abtrittsgruben, durch das mit dem Gift verunreinigte Wasser der Saale etc. das Krankheitsgift verbreitet werden kann, so liegt die Vermuthung nahe, dass gerade durch diese Kanäle, sei es nun direct von dem Grund und Boden aus, oder von den Mistgruben aus, oder von dem verunreinigten Saalwasser aus, welches noch immer in grossen Massen in die Anstalt eingeführt wurde, das Krankheitsgift schnell und allgemein in der Anstalt verbreitet worden sei. Mit dieser Hypothese würde auch übereinstimmen, dass unter den in den Souterrains beschäftigten Sträflingen die relative Zahl der Erkrankungen etwas höher ist, als unter den anderweit in Sälen etc. beschäftigten. Ganz besonders gilt dies von den, in der, im Souterrain gelegenen Küche beschäftigten Sträflingen, welche nicht nur eine sehr hohe Zahl von Erkrankungen, sondern auch die schwersten Erkrankungen·lieferten.

Bemerken will ich noch schliesslich, dass ein anderweitiger besonderer Einfluss von Seiten einzelner Localitäten, von Seiten der Beschäftigung etc. nicht hat nachgewiesen werden können. Etwa ein Fünftel aller Sträflinge ist in Zellen absolut·isolirt; die relative Zahl der Erkrankungen unter ihnen war eben so gross, wie bei denen der gemeinsamen Haft. Wieder ein Beweis, dass in der Anstalt die Krankheit von einem gemeinsamen Heerde aus musste verbreitet werden, nicht von einzelnen Kranken oder von einem Krankenzimmer aus.

Fluthgräben und Kanäle in der Stadt.

Es liegt nach dem oben mitgetheilten nahe, sich auch die Frage vorzulegen, welchen Einfluss die erst nach 1855 begonnene Kanalisirung der Stadt auf die Verbreitung der Cholera ansgeübt habe, ob überhaupt ein solcher nachweisbar sei und even-

tualiter ob er ein günstiger oder ungünstiger gewesen sei. Ich
habe bis jetzt keine Zeit und Gelegenheit gehabt, darüber genauere Ermittelungen zu machen; ich beschränke mich daher
auf folgende Bemerkungen: Die Kanäle in der Stadt haben denselben Zweck, wie die auf der Strafanstalt: die Strassen von
Schmutz und unangenehmen Gerüchen zu befreien, die Stadt
zu drainiren, die Keller von Wasser zu befreien und so die
Salubritäts-Verhältnisse zu verbessern. Ohne Zweifel werden
sie auch diesen Zweck erreichen, allein sie könnten möglicher
Weise, so lange nicht eine Wasserleitung und die Möglichkeit
dazu kommt, diese Kanäle oft und gründlich mit Wasser auszuspülen, dieselben Nachtheile auf die benachbarten Häuserreihen, mit denen sie auch durch Stichkanäle in einer indirecten,
zuweilen sogar durch Abzugsröhren aus den Küchen etc. in ganz
directer Verbindung stehen, ausüben. Während die Gase aus
den offenen Rinnsteinen schnell sich im allgemeinen Luftmeer
verflüchtigen, sammeln sie sich hier in den geschlossenen
Kanälen massenhaft an und können dann in ihrer Concentration gerade schädlich wirken. Auch ist die Möglichkeit vorhanden, dass wenn der Grund solcher Kanäle nicht wasserdicht
ist, von hier aus der poröse Boden mit schädlichen Stoffen inprägnirt wird. Alle die in der grossen und kleinen Wallstrasse und dem Jägerplatz gelegenen, zuerst und zugleich von
der Cholera befallenen Häuser, deren Bewohner in gar keiner
sonstigen Beziehung stehen, liegen an einem solchen Kanal
wie an den Ufern eines Baches und haben zum Theil solche
directe Verbindung vermittelst Abzugsröhren aus den Küchen etc.
Der Kanal ist zum Theil geschlossen, zum Theil offen, es ist
möglich, dass dieser Kanal die gemeinsame Quelle ist, aus
welcher die benachbarten Häuser zu gleicher Zeit den Infectionsstoff erhielten. Bei näherer Betrachtung hat indess diese
Ansicht manches gegen sich, da gerade einzelne von den stark
ergriffenen Häusern ausser der Lage am Kanal gar keine
Verbindung mit ihm haben. Aufgefallen ist es mir, dass „der
Steinweg," welcher in allen früheren Epidemien sehr günstige
Verhältnisse darbot, diesmal ungünstigere Verhältnisse zeigte;
der Steinweg hat diesmal ebensoviel Todte, wie die übrige
Stadt, 3 %. Der Steinweg hat aber seit 1855 einen Kanal er-

3*

halten; eine günstige Einwirkung hat derselbe danach anscheinend nicht ausgeübt.

Einige Häuser, welche von alten Fluthgräben in der Stadt,
die noch immer per fas et nefas Excrementstoffe in sich auf-
nehmen, stark influirt sind, haben ganz besonders stark von
der Cholera gelitten.

Contagiosität.

Alles bisher besprochene hat zur Voraussetzung, dass die
Cholera sich durch Verschleppung und Uebertragung, das heisst
also durch ein Contagium fortpflanzt, das hauptsächlich an den
Magen- und Darm-Dejectionen der Cholerakranken haftet und
daher überall dort zu vermuthen ist, wo die Dejectionen der
Kranken zufällig hingelangen können, also in der beschmutzten
Wäsche, den Utensilien, den Krankenzimmern, in den Abtritten,
den Abtrittsgruben, dem Untergrund der Gebäude, dem Wasser
der Flüsse, Bäche und Brunnen, so weit sie damit verunreinigt
werden können, und dass auf allen diesen Wegen auch die
Menschen durch das Contagium inficirt werden können, ohne
je mit den Kranken selbst in Berührung gekommen zu sein.
Dabei muss man annehmen, dass dieses Contagium sich dadurch
von vielen andern unterscheidet, dass es seine Lebensfähigkeit
auch in verschiedenen Medien eine Zeitlang behauptet. Pettenkofer, über dessen Theorie das Rescript der Königl. Regierung
ein besonderes Gutachten erfordert, geht noch weiter, indem er
annimmt, dass dieses Contagium nicht nur seine Lebensfähigkeit
ausserhalb des menschlichen Körpers behauptet, sondern sogar
erst ausserhalb desselben sich zu seiner vollen Wirksamkeit
entwickelt und vervielfältigt. Nach seiner Theorie wirkt es auf
die in der Zersetzung befindlichen organischen Stoffe, namentlich in dem mit ihnen verunreinigten porösen Untergrund der
Gebäude als specifisches Ferment, und versetzt diese Stoffe in
einen specifischen Gährungsprocess, wobei sich dann das Contagium massenhaft entwickelt, vorausgesetzt dass der Grund und
Boden die nöthigen Bedingungen dazu darbietet, während entgegengesetzten Falles das Contagium zu Grunde geht, ohne zur

Wirksamkeit zu gelangen. Darnach ist also zur Entwickelung einer Cholera-Epidemie allemal zweierlei nöthig: Erstlich die Einschleppung des Cholerakeims und zweitens ein für dasselbe zur Zeit der Einschleppung empfänglicher Boden. Das Rescript der Königlichen Regierung nimmt nun an dieser Theorie deshalb Anstoss, weil der Same des Cholera-Contagiums sich durch die Fäulniss entwickeln soll „während doch gerade in der Fäulniss der Zersetzungsprocess organischer Producte in die Elemente, also Vernichtung ihrer organischen Natur gesehen werde." Ich kann diese Bedenken am wenigsten theilen; allerdings ist die Fäulniss die Zersetzung der organischen Producte in die Elemente, aber wir wissen, dass mit der Fäulniss zugleich und durch sie ein ganz neues organisches Leben beginnt, indem sich in den faulenden Substanzen kleine, meist mikroscopische Organismen thierischer und pflanzlicher Natur massenhaft entwickeln; ja Pasteur glaubt in neuerer Zeit durch seine Experimente bewiesen zu haben, dass die Fäulniss organischer Substanzen lediglich und allein bewirkt wird durch mikroscopische Organismen, deren Keime in der Luft schweben und dass diese Organismen, indem sie sich von der organischen Substanz ernähren, dieselbe zersetzen; wenn es gelingt, diese in der Luft schwimmenden Keime entfernt zu halten, soll die Luft an sich nie im Stande sein, die Stoffe zur Fäulniss zu bringen. Ausserdem entwickeln sich bei der Fäulniss Gase aller Art, die bei ziemlich gleicher Zusammensetzung doch eine specifisch verschiedene Natur darbieten. Mag man sich nun das fragliche Contagium als Gas oder organisirt denken, immer bedarf es zu seiner Entwickelung der Fäulniss oder mindestens braucht ihm die Fäulniss kein Hinderniss zu sein.

Ganz neuerlich haben Klob in Wien und Thomé in Köln durch ihre mikroscopischen Untersuchungen nachgewiesen, dass in den Dejectionen der Cholerakranken und im Darm der Choleraleichen sich massenhaft unendlich kleine Pilzarten in verschiedenen Entwickelungsstufen finden, welche indess nach Klobs Untersuchungen eine gewisse Stufe der Entwickelung niemals überschritten haben und noch nicht bis zur Bildung von Fructifications-Organen gediehen sind. Es ist zur Zeit nicht erwiesen, ob und inwieweit diese Pilzbildung im Darm der

Cholerakranken der Cholera wesentlich ist, also in innigem Zusammenhang mit dem Choleraprocess steht, aber es ist dies doch ziemlich wahrscheinlich gemacht. Sollte es der Wissenschaft gelingen, den Nachweis zu führen, dass wirklich diese unendlich kleinen Pilzchen das Cholera-Contagium seien, so würde diese Entdeckung in überraschendster Weise mit der Pettenkoferschen Theorie übereinstimmen, welche ihrerseits auch wieder mit fast allen über die Verbreitungsweise der Cholera ermittelten Thatsachen harmonirt.

So lange wir nun aber das Contagium selbst nicht, sondern dasselbe nur aus seiner Wirkung kennen, so lange bleibt uns nichts übrig, als zunächst die äusseren Bedingungen zu studiren, unter denen es zur Entwickelung und Wirksamkeit gelangt, um so auf Umwegen durch mühevolle Untersuchungen allmählig seine Natur zu ergründen. Eine der wichtigsten Thatsachen in Betreff der Cholera ist aber die, dass sie bei ihrer Verbreitung stets gewisse Orte verschont, trotzdem dass sie massenhaft dahin verschleppt wird, dass sie andere Orte relativ oft, noch andere selten heimsucht, dass sie ferner gewisse Orte zu gewissen Zeiten befällt, zu anderen nicht, obwohl eine Einschleppung stattfindet. Es liegt daher zunächst in der einfachen wissenschaftlichen Logik, die Orte und ihren Grund und Boden u. s. w. zu vergleichen, und die Differenzen zwischen ihnen aufzusuchen, und ferner in dem empfänglichen Boden diejenigen Momente aufzusuchen und zu studiren, welche auch der Zeit nach wechselnde sind, und zu vergleichen, wie diese sich zur Zeit der Epidemie und ausser der Zeit derselben, kurz vor- und nachher etc. verhalten. Dies ist der Weg, welchen Pettenkofer zuerst mit Geist und Glück eingeschlagen hat. Mag die spätere Forschung manches als unvollständig oder irrig nachweisen, was Pettenkofer jetzt für wahr hält, immer wird ihm das Verdienst bleiben, dass er für die Lehre von den Epidemien ganz neue Bahnen gebrochen hat. Jedenfalls wird eine fortgesetzte Untersuchung in seinem Sinne und nach seiner Methode am ersten und sichersten die Irrthümer widerlegen, in denen wir uns zur Zeit befinden, denn wie er seine Theorie auf Thatsachen stützt, muss sie eventualiter auch durch Thatsachen, nicht durch Raisonnement, widerlegt werden.

Ich glaube, dass es hier nicht der Ort ist, diese theore-

tischen Erörterungen weiter fortzusetzen, und ich hoffe, dass
das Gesagte genügen wird, um zu zeigen, welches die Gedanken
und Ideen waren, die mich bei meinen Untersuchungen ge-
leitet haben. Um aber überhaupt zu einem Resultat zu gelangen,
scheint es mir nöthig, nicht nur die eine Theorie, sondern auch
andere Anschauungen, welche irgend welche Berechtigung in
der Wissenschaft gewonnen haben, zu berücksichtigen, alle Beobachtungen und Thatsachen möglichst objectiv zusammenzustellen, welche geeignet sind, über die schwebenden Fragen,
wenn auch vielleicht erst spät, Licht zu verbreiten, und ich
hoffe deshalb, dass ich bei meiner Darstellung weder den Vor-
wurf der Kritiklosigkeit, noch den der Hypothesenmacherei zu
erwarten habe. Die Hypothese ist der leitende Gedanke bei
der Untersuchung, eine Untersuchung ohne leitenden Gedanken
ist aber unfruchtbar.

Die Königliche Regierung fordert nun noch einen besondern
Bericht darüber, welche Beobachtungen in der verflossenen
Epidemie gemacht worden seien, die mit mehr oder weniger
Wahrscheinlichkeit auf eine Uebertragung der Krankheit schliessen
lassen.

Zunächst muss da das gleichzeitige Auftreten der Krankheit
in Familien und Häusern auf den Verdacht der Ansteckung
und Uebertragung leiten. In welchem Grade aber die Erkrankungsfälle in den Häusern sich häuften, geht schon aus
der oben mitgetheilten Statistik über die Todesfälle in den
Häusern hervor. Wenn in e i n e m Hause (mit etwa 20 Familien)
16 Todesfälle vorkommen, so kann man daraus auf die Zahl
der Erkrankungsfälle mit Einschluss aller Cholerinen und
Diarrhöen schliessen. Nach meinen Wahrnehmungen gehörte
es geradezu zu den Ausnahmen, dass ein Cholerafall in einer
Familie vereinzelt blieb; in der Regel beobachtete man neben
demselben mindestens noch einige Diarrhöen und Cholerinen.
Ja, wenn auch nur das bekannte Bauchkollern mit Neigung
zur Diarrhöe, Präcordial-Angst, Nachtschweiss etc. bei einem
Individium eintrat, wurden alsbald noch mehrere davon befallen;
ja wenn man nur darauf achtete, konnte man beobachten, wie
auch in den andern Familien eines Hauses zu gleicher Zeit
ähnliche Krankheitsfälle einkehrten.

Wie in den Militair-Lazarethen im Beginn der Epidemie das Warte- und Pflege-Personal massenhaft von Cholera, Cholerine und Diarrhöe befallen wurde, habe ich schon oben mitgetheilt. Aehnliches sah ich in der Strafanstalt, obwohl lange nicht in dem Grade. Manche der mit der Wartung der Kranken beauftragten Sträflinge oder Kranke, welche noch im Anfang der Epidemie, ehe eine Trennung durchgeführt war, mit den Cholerakranken das Lazareth theilten, wurden successive in höherem oder geringerem Grade von der Krankheit befallen. Wenn in dem Rescript der Königlichen Regierung die Immunität der Aerzte hervorgehoben wird, so gilt dies für die vergangene Epidemie auch nicht. Von den elf Aerzten des Saalkreises sind zwei, von den circa fünfzig Aerzten, welche damals in Halle practicirten, allerdings nur einer (ein Klinicist) gestorben; aber noch vier bis fünf andere wurden (in Halle) von heftiger Cholera oder Cholerine befallen und nur sehr wenige blieben so vollständig verschont, dass sie nicht wenigstens einige Tage das Bett hätten hüten müssen.

Von vereinzelten Fällen, welche eine Uebertragung besonders wahrscheinlich machen, mögen aus dem Bereich meiner Wahrnehmungen folgende Beispiele hier Platz finden.

Als in Halle die Epidemie ziemlich zu Ende war, in den ersten Tagen des November, starb in sehr enger, mit Menschen überfüllter Wohnung eine Sattlermeistersfrau schnell an der Cholera, während theils schon vor ihr, theils mit ihr zugleich mehrere Familienglieder und das Dienstmädchen an der Cholerine erkrankten. Am Tage nach erfolgtem Tode kam die Mutter des Dienstmädchens von Wettin und besuchte ihre Tochter, nahm dann dieselbe mit nach Wettin, wo die Epidemie eigentlich schon erloschen war. Die Tochter genas schnell, aber nach einigen Tagen legte sich die Mutter und starb.

Ein Bewohner des Waisenhauses, dessen fast vollständige Immunität schon oben besprochen ist, besuchte seinen Schneider, in dessen Hause die Cholera herrschte und der selbst einen kleinen Anfall von Cholerine gehabt hatte und blieb einige Zeit bei ihm, so viel es seine Geschäfte erforderten. Am nächsten Morgen war der Schneider an der Cholera gestorben. Der betreffende Herr fühlte sich von dem Tage ab unwohl, und da das Unwohlsein (Kopfschmerz und Schwindel) nach drei bis vier Tagen nicht nachliess, zog er in die Stadt zu seiner Mutter, in ein bis dahin ganz cholerafreies Haus, wo er sofort an heftiger Cholera erkrankte; innerhalb der nächsten 8 bis 14 Tage erkrankten auch seine Angehörigen an leichten Diarrhöen.

Professor Dr. Vogel theilte mir noch folgenden Fall aus seiner Giebichensteiner Praxis mit: Singer's hatten das Kind einer Frau Lambrecht, das an Cholera krank war, in ihre Hauspflege genommen, darauf erkrankten zwei Kinder, später der Mann.

Aehnliche Beispiele sind gewiss zu Hunderten vorgekommen und beobachtet. Aber alle diese Beispiele und alle bisher angeführten Thatsachen liefern noch nicht den Beweis der directen Ansteckung von Person zu Person, weil alle möglicherweise oder scheinbar angesteckten Personen sich kürzere oder längere Zeit inmitten eines Choleraheerdes aufhielten, und sich daher gar nicht feststellen lässt, ob sie aus diesem allgemeinen Heerde oder von dem Kranken etc., mit dem sie in Berührung kamen, den Infectionsstoff erhalten haben. Bei weitem die meisten Beobachtungen sprechen dafür, dass die directe Uebertragung von Person zu Person, so weit sie überhaupt vorkommt, das seltenste, dagegen die indirecte Uebertragung durch Anhäufung der Dejectionen in einem überfüllten oder unreinlich gehaltenen Krankenzimmer, durch verunreinigte Wäsche oder vermittelst anderer Medien, wie Grund und Boden etc., überhaupt von einem gemeinsamen Heerde aus, das bei weitem häufigere ist. Das gleichzeitige und massenhafte Ergriffenwerden von Personen oder Familien in einem Hause oder einer begrenzten Oertlichkeit, die gar nicht mit einander in Berührung kommen, lassen kaum einen Zweifel, dass hier die Infection von einem solchen gemeinsamen Heerde aus erfolgt. Wie aber andrerseits einzelne Kranke, welche die Krankheit in einen Ort, ein Haus einschleppen, zur Bildung solcher Choleraheerde Veranlassung geben, ist durch die allgemeine Erfahrung hinlänglich festgestellt. Grosse, ausgedehnte Epidemien, wie die letzte in Halle, sind für derartige Studien viel weniger geeignet, als kleine und beschränkte Epidemien. Wäre es mir möglich gewesen, jede

einzelne Ortsepidemie im Saalkreise genau zu studiren, würde
es mir gewiss nicht an lehrreichem Material fehlen.

In den Berichten über das Auftreten der Cholera im Saalkreise werden zum Theil höchst interessante Einzelnheiten berichtet. In den meisten der erwähnten Orte ist eine Einschleppung von aussen mit mehr oder weniger Wahrscheinlichkeit
nachzuweisen, theils durch Personen, welche ihre cholerakranken
oder an der Cholera verstorbenen Verwandten in Halle etc. be-
sucht, gepflegt, ihre Wäsche und Effecten mitgebracht hatten,
theils durch .Effecten, welche aus cholerainficirten Häusern
kamen. Verschiedene Aerzte heben es besonders hervor und
erhärten es durch einzelne Thatsachen, dass Personen, die mit
Waschen der verunreinigten Wäsche zu thun hatten, und ihre
Familien von der Krankheit ergriffen wurden. Theilweise wird
bemerkt, dass meist die Wäsche, welche diese schädliche Wirkung
entfaltete, schon einige Tage gelegen hatte. v. d. Heyde berichtet
einen Fall, wo sich Kinder auf den nicht gehörig gereinigten
Betten eines an der Cholera Verstorbenen, welche im Freien
gesonnt wurden, herumtummelten und bald darauf an der
Cholera erkrankten. Auch die meisten Aerzte in Halle stimmen
darin überein, dass Wäscher und Wäscherinnen verhältnissmässig
häufig ein Opfer der Krankheit wurden.

Herr Professor Vogel theilt mir folgenden Fall mit: Frau
Hölzer in Giebichenstein erkrankte, unmittelbar nachdem sie
die Wäsche des am 6. August verstorbenen Gastwirth Löbler
gereinigt, am 8. August und stirbt am 9.

Herr Dr. Runde theilt zwei sehr interessante Beispiele mit,
wie eine ganze Familie, welche eine inficirte Wohnung in einem
Dorfe bezog, von der Cholera ergriffen wurde. In beiden Fällen
war der Boden mit Ziegelsteinen gepflastert; in dem einen Falle
hatte die Wohnung während· der Epidemie als Leichenhaus für
die Cholera-Leichen gedient, in dem andern waren verschiedene
Personen darinnen krank gewesen und gestorben. Trotz vorangegangener Reinigung und Desinfection und obwohl die
Epidemie an dem betreffenden Orte längst erloschen
ist, erkranken die Familien, welehe die Wohnungen beziehen
und aus einem cholerafreien Orte kommen, nach einigen Tagen.
Es wird ferner berichtet, wie häufig die Cholera in ein Haus

eines Dorfes eingeschleppt wird, und die Krankheit sich dann auf dies eine Haus oder auf einige benachbarte Häuser beschränkt. Alle Beobachter suchen den contagiösen Stoff in den Dejectionen; einige heben hervor, dass dieselben aber nicht im frischen, sondern nur im fauligen Zustande ihre Wirkung entfalten.

Im Jahre 1855 machte ich die Beobachtung, ·dass gleich im Beginn der Epidemie fast alle Wäscher in der Strafanstalt, nachdem sie die mit Cholera-Dejection beschmutzte Wäsche gewaschen hatten, erkrankten (vergl. den Bericht von 1855. Seite 13). Diesmal kam die Wäsche stets nur nach vorangegangener vollständiger Desinfection in die Waschanstalt und es erkrankte von allen Wäschern überhaupt nur einer, der wieder genas.

Zum Schluss noch ein Beispiel, das zufällig zu meiner Kenntniss gekommen ist.

Eine Familie reist, während die Epidemie hier auf der Höhe war, nach Ilmenau, nachdem der Vater eine schwere Cholerine kaum überstanden; unterwegs erkrankt ein Kind und stirbt in Ilmenau; nach einigen Tagen wird die beschmutzte Wäsche einer Wäscherin übergeben und in Folge dessen wird die Wäscherin von der Cholera ergriffen. Damit hat die Sache ein Ende und dieser mit Cholera-Flüchtlingen angefüllte Ort erhält keine Epidemie. Der Fall ist in dreifacher Weise instructiv: 1. zeigt er, wie die Cholera verschleppt wird; 2. wie durch die beschmutzte Wäsche eine Ansteckung erfolgt und 3. dass trotz der Einschleppung der Ort keine Epidemie erhält, da die äussern Bedingungen zu einer solchen fehlen. Dasselbe wiederholte sich, wie in allen Cholerajahren, auch dies Jahr in vielen Orten des Thüringer Waldes. Einige Thüringer Städte an der Thüringer Bahn, die früher stets frei geblieben waren, erhielten diesmal eine Epidemie, wie z. B. Eisenach, Gotha und zuletzt auch Weimar. Doch scheinen die Epidemien in diesen wenig empfänglichen Orten nur local beschränkt aufgetreten zu sein. Bestimmt weiss ich dies von Weimar, aus dem von dem Verein der Aerzte in Weimar erstatteten höchst interessanten Bericht, welcher mir im Druck vorliegt. Diese Epidemie beschränkte sich auf einen kleinen

Theil Weimars. Von allen Fällen, welche in dem übrigen cholerafreien Theil der Stadt vorkommen, wird unzweifelhaft nachgewiesen, dass sie aus dem inficirten Theil stammen, indem die betroffenen Personen erst einige Tage zuvor aus dem inficirten in den cholerafreien Theil gezogen oder in Cholerahäusern des inficirten Theils wegen Krankenpflege etc. längere Zeit verweilt hatten.

Ganz frei blieben wieder eine grosse Zahl der Orte im Thüringer Walde, obwohl sie von Choleraflüchtlingen wimmelten. In Friedrichsroda, wo ich mich selbst während einiger Wochen im September und October aufhielt, kamen die Choleraflüchtlinge schaarenweis aus Halle, Erfurt, Leipzig und zuletzt Gotha; unter ihnen herrschte mancher Schrecken wegen stürmisch aufgetretener Diarrhöen etc., während die Einheimischen ganz gesund blieben. Ein von Gotha zugereister Postillon kommt auch mit allen Symptomen der Cholera an, wird aber sofort nach Gotha zurückspedirt; Friedrichsroda hat keinen Todesfall, noch viel weniger eine Epidemie gehabt. Waltershausen, welches dicht am Fusse des Gebirges und an der Eisenbahn liegt, hat im Armenhaus und in einem anderen Hause Cholerafälle gehabt, weiter nichts. In Georgienthal starb eine einzige Frau, die täglich nach Gotha ging und in einem Gasthofe einkehrte, wo die Cholera herrschte. In Tambach blieb es bei einzelnen eingeschleppten Fällen. Alle diese Orte waren Zufluchtsstätten für Choleraflüchtlinge. Noch an vielen andern Orten des Thüringer Waldes wiederholte sich dasselbe. Am interessantesten war mir in dieser Beziehung Suhl. Suhl ist bekanntlich eine Fabrikstadt von 8 bis 10,000 Einwohnern, dessen Fabrikation seit Jahren sehr darnieder liegt. Suhl wimmelt daher von Proletariat und es sind hier alle Bedingungen zu einer heftigen Cholera-Epidemie scheinbar gegeben. Die Cholera ist auch eingeschleppt, denn einzelne Personen in Suhl und in einigen benachbarten ähnlich beschaffenen Dörfern erkrankten und starben an der Cholera. Dennoch erhielt Suhl keine Epidemie und hat auch noch nie eine gehabt.

Erwägt man, wie im Gegensatz dazu, die Cholera stets und auch in diesem Jahre mit Vorliebe die Niederungen und die Flussthäler aufgesucht, so müsste man blind sein, wenn man den Einfluss der Oertlichkeit und der Bodenverhältnisse auf die Verbreitung der Krankheit verkennen wollte. Dass die Höhe über dem Meeresspiegel an sich irrelevant ist, weiss man längst; man hat ausnahmsweise Epidemien auf den höchsten Gebirgen erlebt, aber nur ausnahmsweise. Es müssen also die Boden- incl. Wasserverhältnisse sein, welche vorwiegend andere sind in den Gebirgen, als in den Niederungen und Fluss- thälern.

Uebrigens ist es mir so vorgekommen, als wenn die Cho- lera in diesem Jahre eine intensivere Ansteckungsfähigkeit be- sessen hätte, als ·in früheren; oder mit anderen Worten, als wenn der verschleppbare Keim der Krankheit eine grössere Le- bensfähigkeit und Kraft entwickelt hätte, als in früheren Cho- lerajahren.

Desinfection.

Es scheint mir am besten, gleich hier, wo von dem Con- tagium, resp. dem „Krankheitssamen" die Rede ist, die Desin- fection zu besprechen. Ausgehend von der Ueberzeugung, dass das Contagium oder der Same desselben in den Dejectionen enthalten sei, hat man gehofft, der Cholera Schranken zu setzen durch Desinfection dieser Dejectionen und aller Abtrittskübel, Abtrittsgruben etc. Man hat dazu vorzugsweise das Eisenvitriol empfohlen und benutzt, nicht sowohl, weil man ihm eine be- sondere desinficirende Kraft zuschrieb, sondern wegen seiner· sonstigen Unschädlichkeit und Wohlfeilheit. Leider reden meine Erfahrungen dieser Art der Desinfection nicht das Wort. Schon seit dem October 1865 sind in der Strafanstalt nach einem besonders von mir verfassten Reglement sämmtliche Kü- bel und Gruben der Anstalt dergestalt mit Eisenvitriollösung desinficirt, dass die Ausleerungen aller Gesunden und· Kranken gleich von der desinficirenden Masse aufgenommen wurden. Anfangs·rechnete ich, mit Rücksicht auf die rein vegetabilische Kost, wohl etwas zu wenig; ein halbes Loth pro Kopf und Tag der Gesunden, im Lazareth das Doppelte; später, als die Epi- demie herannahte, wurde die Quantität verdreifacht. Nach An- gabe der Strafanstalts-Verwaltung wurden während des Juli,

August, September und October im Ganzen 50 Centner 10 Pfund verbraucht, das macht pro Tag und Kopf 1³/₄ Loth. Eine Prüfung sämmtlicher Kübel und sämmtlicher Gruben der Anstalt am Anfang der Epidemie ergab durchweg eine saure Reaction. Alle Magen- und Darm-Dejectionen sämmtlicher Cholera-, Cholerine- und Diarrhöe-Kranken wurden gleich von der desinficirenden Masse aufgenommen. Die Quantität des Eisenvitriols in den Stechbecken und allen Gefässen für die Kranken, welche zur Anfnahme von Magen- und Darmdejectionen dienten, war weit grösser als nöthig. Kurz und gut, die Desinfection ist hier nach meiner Ueberzeugung so vollständig durchgeführt, als es überhaupt nur möglich ist, und dennoch hatte sie nicht den geringsten Einfluss auf die Verbreitung der Krankheit. Die Epidemie war verbreiteter und bedeutender als irgend eine frühere. Hiernach kann ich mir fernerhin von einer Desinfection mit Eisenvitriol nur wenig versprechen. Ueber andere Desinfectionsmittel habe ich keine Erfahrung, und bin überhaupt weit entfernt, nach dieser einen Erfahrung die Desinfection überhaupt verwerfen zu wollen.

Die Wäsche etc. wurde auf der Strafanstalt sehr einfach desinficirt; sie wurde sofort in grosse Gefässe mit Wasser gebracht, welche im Freien standen, entfernt von bewohnten Räumen; hier blieb sie wochenlang liegen und wurde dann wochenlang der Luft ausgesetzt, ehe sie in die Wäsche kam. Diese Desinfection erfüllte, wie ich schon oben mitgetheilt habe, vollständig ihren Zweck. Wo aber eine schnellere Desinfection nöthig ist, wird das Auskochen unentbehrlich sein.

Witterungs-Verhältnisse.

Dass die täglichen Witterungs-Veränderungen während einer Epidemie keinen oder nur einen sehr unwesentlichen Einfluss auf den Gang derselben ausüben, dass ferner ein constantes Verhältniss der Cholera zur Witterung nicht nachgewiesen werden kann, dass vielmehr Cholera-Epidemien bei warmer und kalter, bei trockener und regnerischer Witterung, bei hohem und niedrigem Barometerstand beobachtet sind, das Alles ist eine längst bekannte Thatsache. Auch würde der Einflssu einzelner besonderer meteorologischer Erscheinungen, z. B. der Stürme, Gewitter etc., schwer zu controliren sein, da ja doch der Effect, den sie möglicher Weise hervorbringen, schwerlich gleich am nächsten Tage deutlich sichtbar hervortreten möchte. Es würde daher ein fruchtloses Beginnen sein, abermals Tag für Tag die Schwankungen der Witterungs-Verhältnisse während der Epidemie mit den Schwankungen der Letzteren zu vergleichen. Es würde sich zeigen, dass auch diese Epidemie nur wieder die alte negative Erfahrung bestätige. Ich beschränke mich daher auf folgende kurze Bemerkungen.

Für den Juli, August und erste Hälfte des September schien es mir charakteristisch, dass häufige und zum Theil sehr starke Regengüsse mit heiteren, theilweise schwülen Tagen wechselten, bei einer für die Jahreszeit durchschnittlich niedrigen Temperatur, häufigem Wechsel der Windrichtung u. s. w. Von Mitte September ab ändert sich der Witterungs-Charakter; es tritt anhaltende Trockenheit ein, die während des September mit hoher, während des October constant mit niedriger Temperatur zusammenfällt. Darnach fällt das schnelle Steigen und die Höhe der Epidemie mit vielem Regen und relativ niedriger Temperatur zusammen; aber dieselben Witterungs-Verhältnisse bestehen noch, als das erste schnelle Sinken der Epidemie (Anfangs September) eintritt. Später dagegen nimmt zur Zeit einer trockenen Wärme die Epidemie einen lebhaften Aufschwung, vermindert sich zur Zeit einer trockenen Kälte sehr allmählig und verschwindet dann ganz bei verhältnissmässig für die Jahreszeit sehr milder Temperatur und viel Feuchtigkeit im November und December. Also es fehlt auch hier wieder ein constantes Verhältniss. Gewitter wurden während der Epidemie überhaupt nur drei, nämlich am 21. August und dem 3. und 8. September beobachtet. Sie blieben ohne merklichen Einfluss, ebenso wie einige Stürme und die Schwankungen des Barometers. Ueber den Ozongehalt der Luft habe ich nichts in Erfahrung bringen können.

Wenn man nun aus alledem den Schluss ziehen wollte, dass die Witterungs-Verhältnisse überhaupt ohne Einfluss auf die Cholera wären, so würde dies, meiner Meinung nach, grundfalsch sein. Ihre Wirkung ist nur in der Regel eine mittelbare und zu verschiedenen Zeiten und an verschiedenen Orten eine sehr verschiedene. Wenn sich im Winter im Gebirge Massen von Schnee anhäufen, so kann dies die Ursache werden, dass 30 oder 40 Meilen davon im nächsten Sommer eine Wechselfieber-Epidemie entsteht, gleichviel wie die Witterung im Sommer in jener Gegend sich gestaltet. Dieselben Regenmengen während einer gewissen Zeitperiode, an gewissen Orten, können einen ganz entgegengesetzten Effect haben, je nachdem anhaltende Trockenheit und Dürre oder anhaltende Nässe und Feuchtigkeit vorangegangen ist. Dieselben Regenmengen können auch in unmittelbar aneinander grenzenden Orten eine ganz verschiedene Wirkung haben, wenn z. B. der eine auf einem hohen, undurchlässigen Fels mit starkem Gefälle für das Wasser, der andere in muldenförmigem Terrain, auf einer 10 bis 15 Fuss hohen porösen Schicht über undurchlässigem Untergrund liegt. Während dort das Wasser schnell abfliesst und der Grund und Boden trocken bleibt, sammelt sich hier in der Mulde auf der undurchlässigen Schicht das Wasser und bewirkt eine anhaltende Feuchtigkeit.

Nimmt man nun z. B. an, dass ein gewisser mittlerer Grad der Feuchtigkeit im Grund und Boden die Verbreitung der Cholera an einer Oertlichkeit begünstigt, so folgt von selbst, dass das einemal und an dem einen Ort grosse Regenmengen förderlich, das anderemal und am anderen Ort hinderlich oder indifferent sein können, je nachdem der Boden vorher schon feucht oder trocken war und je nachdem er sonst beschaffen ist. Dasselbe gilt von der Temperatur. Wenn es zur Epidemie kommen soll, gleichviel ob Cholera oder Wechselfieber, oder was sonst, so ist stets das Zusammenwirken verschiedener Factoren nöthig; so bald nun der eine dieser Factoren sich ändert, wird auch das Resultat ein anderes, oder es müssen auch die anderen Factoren sich ändern, wenn das Resultat dasselbe sein soll.

In Betreff der Regengüsse, die schon im Juni beginnen und dann sich im Juli steigern und bis Mitte September fortdauern, sowie der nachfolgenden Trockenheit und ihrem möglichen mittelbaren Einfluss auf den Gang der Epidemie habe ich mich schon im Capitel über die Grundwasser-Verhältnisse ausgesprochen und erlaube mir, darauf zu verweisen, indem ich nur noch die Bemerkung hinzufüge, dass der Juli, also der Monat, der der Epidemie vorangeht, bei weitem die grösste Menge atmosphärischer Niederschläge hat von allen Monaten des Jahres, und dass diese Regenmenge im Juli weit das gewöhnliche Mittel dieses Monats für Halle (etwa 350 Kubikzoll) überschreitet. Es betragen nämlich die Niederschläge, nach Kubikzoll berechnet:

im Januar	78	Kubikzoll
„ Februar	116	„
„ März ·	247	„
„ April	298	„
„ Mai	292	
, Juni	217	
„ Juli	516	
„ August	203	„
„ September	162	„
„ October	14	„
„ November	178	„
„ December	234	„

in Summa 2555 Kubikzoll.

Es erinnert mich dies an eine Mittheilung, welche uns Professor Pettenkofer bei seiner Anwesenheit hier in Halle machte. Er hatte sich die Angaben über die jährlichen Regenmengen in London von der dortigen meteorologischen Station verschafft, und danach ergab sich, dass, während einer längeren Reihe von Jahren alle Cholerajahre bei weitem die meisten Regenmengen, resp. atmosphärischen Niederschläge nachwiesen, und zwar so, dass die grösste Menge derselben in jedem einzelnen Jahre dem Ausbruch der Epidemie voranging.

Im Jahre 1855 verhielt es sich ebenso; der Ausbruch der Epidemie erfolgt auf der Strafanstalt Ende Juli, in der Stadt gegen Ende August. Die grösste Regenmenge hat der Juli, nämlich 892 Kubikzoll, also noch bedeutender als 1866. Der August hat 139 Kubikzoll.

Die Regenmengen im Jahre 1855 sind

im Januar	157,95	Kubikzoll
„ Februar	205,30	„
„ März	101,50	„
„ April	133,65	„
„ Mai	361,10	„
„ Juni	296,25	„
„ Juli	892,10	„
„ August	139,20	„
„ September	84,40	„
„ October	182,80	„
„ November	47,25	„
„ December	71,40	„

in Summa 2672,90 Kubikzoll.

Ueber die Regenmengen der Jahre 1832, 1849 und 1850 habe ich nichts in Erfahrung bringen können.

Geschlecht, Lebensalter und individuelle Disposition.

Sowohl in der Stadt als im Saalkreise ist die Sterblichkeit unter dem weiblichen Geschlecht nicht unerheblich grösser als bei dem männlichen. In Halle starben von 1505 Personen 149, im Saalkreise von 1035, deren Geschlecht mir bekannt ist, 53 Individuen weiblichen Geschlechts mehr als männlichen. Da über die Zahl der Erkrankungen nichts Sicheres bekannt ist, bleibt es unentschieden, ob diese grössere Sterblichkeit beim weiblichen Geschlecht in der grösseren · Disposition für die Krankheit oder in der geringeren Widerstandskraft gegenüber der einmal ausgebrochenen Krankheit beruht.

Folgende Tabelle giebt die Statistik der Todesfälle nach den Altersstufen von 10 zu 10 Jahren in allen Epidemien seit 1832. Es liegen ihr die durch die Todtenzettel etc. amtlich constatirten Todesfälle zum Grunde.

Demnach starben an der Cholera Personen:

In Halle.

Summa	90 Jahr und darüber	80 Jahr und darüber	70 Jahr und darüber	60 Jahr und darüber	50 Jahr und darüber	40 Jahr und darüber	30 Jahr und darüber	20 Jahr und darüber	10 Jahr und darüber	Unter 10 Jahren
1832.										
465	1	7	30	69	77	57	63	62	32	67
%	0,21	1,50	6,45	14,83	16,55	12,25	13,54	13,33	6,88	14,40
1849.										
940	1	9	47	102	129	134	140	122	61	195
%	0,10	0,95	5,00	10,85	13,72	14,25	14,89	12,98	6,49	20,74
1850.										
320		1	14	28	30	37	46	68	22	134
%		0,26	3,68	7,36	7,89	9,73	12,10	17,89	5,78	35,26
1855.										
430		3	12	24	32	34	51	40	24	210
%		0,69	2,79	5,57	7,44	7,90	11,86	9,30	5,57	48,83
1866.										
1505	1	11	44	123	146	162	230	195	135	458
%	0,06	0,73	2,25	8,17	9,70	10,76	15,28	12,95	8,97	30,43

Die vorstehende Tabelle ergiebt ein constantes Verhältniss in allen Epidemien für die Altersklassen von 10 bis 20 Jahren, welche bei weitem die geringste Sterblichkeit darbietet, was um so auffallender ist, da in Halle wegen seiner vielen Schulen gerade diese Altersklasse stark vertreten ist. Ebenso constant ist auch (mit einer Ausnahme im Jahre 1832) die relativ grösste Sterblichkeit in der Altersklasse· unter 10 Jahren und zwar liefern hierzu die Kinder bis zu fünf Jahren das Hauptcontingent; demnächst ist das beste Mannesalter, doch nicht ganz constant, namentlich das vom 20. bis 40. Jahre am meisten betroffen.

Sehr interessant ist die grosse Verschiedenheit der relativen Sterblichkeit der Altersklasse unter 10 Jahren in den verschiedenen Epidemien. Im Jahre 1832, der ersten Epidemie, die Halle erlebt hat, ist sie kaum grösser als in den übrigen Altersklassen; von da ab steigt sie in jeder folgenden Epidemie und erreicht ihren Höhepunkt 1855, wo nahezu die Hälfte aller Todesfälle dieser Altersklasse angehört. Diese Steigerung ist eine so regelmässige und bedeutende, dass man sie nicht wohl für zufällig halten kann. Es ist, wie ich schon im Eingang erwähnt habe, durch eine grosse Menge von Thatsachen und Erfahrungen festgestellt, dass eine eben durchseuchte Bevölkerung eine gewisse, wenn auch beschränkte Immunität gegen die

4*

Krankheit für kürzere oder längere Zeit erhält. Nicht nur diejenigen, welche die Krankheit wirklich überstanden haben, sondern auch die, welche kürzere oder längere Zeit dem Choleragift ausgesetzt waren, aber ihm widerstanden haben, zeigen einen
gewissen Grad von Unempfänglichkeit für die Krankheit, die
kürzere oder längere Zeit anhält. Man erklärt hieraus zum
Theil das Aufhören der Epidemien. Ist dies nun wirklich der
Fall, so folgt daraus, dass wenn namentlich Epidemien schnell
auf einander folgen, der nachgeborene, also noch nicht durchseuchte Theil der Bevölkerung, eine relativ grössere Empfänglichkeit besitzen muss, als der schon durchseuchte Theil. Dem
entsprechen nun vollständig obige Zahlen, indem mit jeder Epidemie die relative Sterblichkeit im Kindesalter zunimmt, und
nach den schnell auf einander folgenden drei Epidemien sich
mehr als verdoppelt. Nachdem nun wieder eine längere Pause
von 11 Jahren zwischen der Epidemie von 1855 und 1866 ver-
flossen ist, hat die Empfänglichkeit auch in dem durchseuchten
Theil der Bevölkerung wieder zugenommen und dem entsprechend ist auch die relative Sterblichkeit im Kindesalter wieder
geringer als 1855, aber doch bedeutender als 1832 und 1849.

Hiermit stimmen auch die Beobachtungen auf der Straf-
anstalt überein. Auch die Bevölkerung der Strafanstalt hatte
1849 bis 1855 schnell hintereinander drei Epidemien zu bestehen. Von den 500 Sträflingen, welche die Epidemie von
1850 mit durchmachten, war etwa die Hälfte, 250 schon 1849
mit durchseucht und von den circa 1000, welche die 1855 gras-
sirende Epidemie mit erlebten, war etwa ein Sechstheil bereits
durchseucht. Dennoch findet sich in den Krankenlisten nur ein
Individuum, welches zweimal an der Cholera erkrankt ist; zwei
hatten in verschiedenen Epidemien einmal Cholera und Cholerine und nur 8 Individuen, welche früher einmal eine Cholera-
Diarrhöe gehabt hatten, erkrankten in einer der folgenden Epidemien noch an Cholera und Cholerine; eine verhältnissmässig
gewiss sehr geringe Zahl, da die Zahl sämmtlicher Erkrankungen (mit Einschluss der Diarrhöen) während der drei Epidemien
über 400 beträgt.

Ebenso ergiebt auch die nachfolgende Statistik in Betreff
der diesjährigen Epidemie ein nicht sehr bedeutendes, aber

doch unverkennbares Uebergewicht zu Ungunsten der Nicht-durchseuchten.

Von den 702 Sträflingen, welche zu Beginn der Epidemie in der Anstalt detinirt waren, waren in der Anstalt selbst schon durchseucht (hatten also eine oder mehrere der drei vorhergegangenen Epidemien in der Anstalt erlebt) 180 Mann und nicht durchseucht 522 Mann. Nun erkrankten überhaupt mit Einschluss aller Diarrhöen:

Von der ersten Kategorie 51 Mann d. i. 28,33 %.
An Cholerine . . . . . 13 „ d. i. 7,20 %.
An ausgebildeter Cholera 18 „ d. i. 10,00 %.
Es starben an der Cholera 6 „ d. i. 3,33 %.

Von der zweiten Kategorie 282 Mann d. i. 54,02 %.
An Cholerine . . . . 58 „ d. i. 11,11 %.
An ausgebildeter Cholera 71 „ d. i. 13,60 %.
Es starben an der Cholera 27 „ d. i. 5,17 %.

Ich habe noch eine Umfrage halten lassen bei Denen, welche in der letzten Epidemie die Cholera überstanden haben, ob Einer von ihnen schon früher einmal die Cholera gehabt habe und es fand sich unter diesen 56 nur Einer. Von den schon früher in der Anstalt durchseuchten und jetzt an der Cholera verstorbenen 6 Personen findet sich in dem Krankenregister nur Einer, welcher früher einmal in der Anstalt die Cholera gehabt hat.

Endlich stimmt mit dieser allgemeinen Erfahrung auch überein, dass die Epidemie von 1850, welche unmittelbar der heftigen von 1849 folgte, die geringfügigste von allen ist, weil hier die Empfänglichkeit der Bevölkerung noch am meisten beschränkt ist.

Mit diesem Naturgesetz hängt auch die so oft gemachte Beobachtung zusammen, dass Personen, welche von einem nicht inficirten Orte an einen inficirten Ort kommen, besonders häufig der Cholera erliegen; diese Erfahrung hat sich auch in dieser Epidemie vielfach wiederholt. Namentlich sind noch manche von den Choleraflüchtlingen, die gegen Ende der Epidemie zurückkehrten, der Krankheit erlegen. Besonders interessant sind

auch in dieser Beziehung jene zwei von Dr. Runde mitgetheilte
Fälle, wo zwei Familien, die aus ganz cholerafreien Orten kamen, die eine in Schiepzig, die andere in Brachwitz, wo bereits die Cholera-Epidemie längst erloschen war, noch von der
Cholera ergriffen wurden, weil sie von früher her inficirte Wohnungen beziehen.

Andrerseits habe ich auch, obwohl nicht häufig, Personen
kennen gelernt, welche insofern eine besondere Disposition für
die Cholera zeigten, als sie fast in jeder Epidemie von Diarrhöe zu leiden hatten, oder selbst von Cholerine oder Cholera
befallen wurden. Besonders disponirt erschienen auch kränk-
liche und herabgekommene, altersschwache, schlechternährte
Subjecte, oder wenigstens wurden sie besonders häufig ein Opfer
der Cholera. Auf der Strafanstalt gingen mehrere Personen,
die ohnehin schon in Folge chronischer Krankheiten dem Tode
verfallen waren, noch an Cholerine oder Cholera zu Grunde.
Indess habe ich auch das Gegentheil beobachtet, dass nämlich
in Familien alle Glieder mehr oder weniger heftig ergriffen
wurden, aber gerade ein anderweit Kranker frei blieb. Es
scheint daher doch sehr auf die Art der Krankheit und der
Constitution anzukommen, und die Krankheit und Schwäche
an sich nicht immer zur Cholera zu disponiren.

Diät und andere Gelegenheits-Ursachen.

Ueber den Einfluss der Diät, der Erkältungen und anderer
Gelegenheits-Ursachen weiss ich Neues nicht zu berichten. Sie
zeigten sich, nachdem die Epidemie einmal verbreitet war, als
deren treue Verbündete. Diätfehler und Erkältung mögen oft
die Krankheit zum Ausbruch gebracht haben, nachdem einmal
das Individuum unter der Herrschaft des Choleragiftes stand;
andererseits gewährte auch die strengste Diät und die Vermei-
dung aller anderen Gelegenheits-Ursachen keine Sicherheit vor
der Seuche. Besonders häufig wurden auch, namentlich von
den Laien, die deprimirenden Gemüthsaffecte als Krankheits-
Ursache angesehen. So ist auf der hiesigen Strafanstalt der

Glaube verbreitet, dass auf dem Flügel C und namentlich auf einem grossen Arbeitssaal dieses Flügels die Cholera deshalb eine Zeitlang so vorzugsweise gewüthet habe, weil man von dort auf den Kirchhof der Anstalt sehen konnte, und so jede neue Leiche von dort bemerkt wurde und Schrecken verbreitete.

Im Gegensatz dazu wird von der Irrenanstalt berichtet, dass vorzugsweise Personen von der Krankheit befallen wurden, die keiner Gemüthsaffecte mehr fähig waren.

Genius epidemicus.

Ueber den Genius epidemicus ist schon im Eingang das Nöthigste mitgetheilt, und darauf aufmerksam gemacht, dass schon seit einem Jahre vor Ausbruch der Cholera eine Disposition zu Diarrhöen unter der Bevölkerung sehr verbreitet war. Ich füge dem hier nur noch einige kurze Bemerkungen hinzu. Ein sonst häufiger Begleiter der Cholera, das Wechselfieber fehlte diesmal vollständig. Seit dem Jahre 1855 war dasselbe in steter Abnahme und seit mehreren Jahren sah man kaum hier und da sporadische Fälle. Dagegen herrschten schon seit einem Jahre und länger vor Ausbruch der Cholera-Epidemie die Pocken, die auch 1832 mit der Cholera zusammenfielen. Auffallend war es, dass während der Höhe der Epidemie auch diese Krankheit vollständig verschwunden schien, sobald aber die Epidemie im Erlöschen war, mit um so grösserer Lebhaftigkeit wieder hervortrat. Während der Höhe der Epidemie waren übrigens fast alle anderen Krankheiten, namentlich Catarrhe, Entzündungen etc. fast ganz verschwunden; ein Patient, der nicht an Cholera oder Diarrhöe litt, war für die Aerzte zu jener Zeit eine rar a avis,

Nächst den Pocken sind die Masern die erste Krankheit, welche in Halle nach dem Verschwinden der Cholera als Epidemie auftrat.

Pathologisch-Therapeutisches.

Ich habe den ätiologischen Theil dieses Berichtes möglichst
ausführlich — vielleicht nur zu ausführlich — behandelt und
hoffe deshalb „Entschuldigung zu finden, wenn ich mich in
Betreff des pathologisch-therapeutischen Theils, welcher ohnehin für die Verwaltung nur ein sehr untergeordnetes Interesse
hat, auf folgende kurze Bemerkungen beschränke.

Alle älteren Aerzte, welche schon von früher die Cholera
kennen gelernt haben, stimmen, soweit ich Gelegenheit hatte,
deren Meinung zu erfahren, darin überein, dass diese Epidemie vor allen andern sich dadurch auszeichnete, dass die
paralytischen Erscheinungen sehr schnell eintraten und in Folge
dessen die Krankheit oft in rapidem Verlauf dem Leben ein
schnelles Ende machte.   Dagegen waren die Reizungs-
Symptome: heftige Kolikschmerzen, Wadenkrämpfe etc.
weit geringer, und den durchdringenden Schmerzensschrei,
welchen man in den früheren Epidemien in den Krankenstu-
ben und Lazarethen oft weithin vernahm, hörte man in dieser
Epidemie viel seltener. Ich glaube auch wahrgenommen zu
haben, dass, dem Vorherrschen der paralytischen Erscheinungen
entsprechend, diese Epidemie besonders bösartig war. Genau
bestimmen könnte man dies freilich nur dann, wenn man die
Verhältnisszahl der Todesfälle zu den Erkrankungen kennte.
Die Zahl der Erkrankungen ist aber diesmal auch nicht annähernd zu bestimmen, da auf der Höhe der Epidemie in Halle
bei der Ueberbürdung aller Aerzte die Anmeldungen ganz auf-
hörten. Auch die Angaben über die Erkrankungsfälle im Saalkreise sind so mangelhaft ausgefallen, dass es mir am zweck-
mässigsten schien, sie ganz ausser Betracht zu lassen. Die
Zahlenverhältnisse in der Strafanstalt sprechen aber entschieden
für die grössere Bösartigkeit der Krankheit. Die 1855 gras-
sirende Epidemie war von allen früheren Epidemien in der
Strafanstalt schon die bösartigste; damals kamen unter circa
1000 Detinirten 279 Erkrankungsfälle incl. aller Diarrhöen vor,
d. i. 27,90 % der Bevölkerung: von diesen 279 Erkrankungen
verliefen 18, also 6,45 % tödtlich. In dieser Epidemie kamen

unter circa 700 Detinirten 333 Erkrankungsfälle vor, d. i. 47,44 % der Bevölkerung und von diesen 333 Erkrankungsfällen verliefen 33, also 9,91 % tödtlich.

Dem entsprechend ist auch die Verhältnisszahl der schweren Erkrankungen d. h. der ausgebildeten Cholerafälle zu der Gesammtzahl der Erkrankungen, nämlich:

1855 unter 279 Erkrankungen 53 Cholerafälle, d. i. 18,99 %,
1866 „ 333 „ 89 „ d. i. 26,73 %.

Uebrigens war die Krankheit innerhalb der Stadt auch ganz ausserordentlich verbreitet; ich glaube, dass nur ein ganz kleiner Theil der Bevölkerung von Halle so glücklich war, ganz unberührt von den Einflüssen der Choleraschädlichkeit geblieben zu sein. Das bekannte Bauchkollern mit Neigung zur Diarrhöe oder auch hartnäckiger Verstopfung, Pracordiälangst, Schlaflosigkeit und Neigungzu Schweiss war sehr verbreitet; es herrschte zu gleicher Zeit in ganzen Familien und Häusern und hielt, wie mir vorkam, viel länger an, als in anderen Epidemien. Es stimmt diese Erfahrung ganz überein mit der längeren Dauer der einzelnen Hausepidemien, wovon ich schon oben Mittheilung machte. Mancher, der vier, fünf Wochen und länger an diesen Symptomen gelitten, wiederholt heftige Diarrhöen überwunden hatte, erlag endlich doch noch einem heftigen Cholera-Anfall. Jene anhaltenden Beschwerden brachten oft Einzelne, ja selbst ganze Familien mehr herunter, als ein heftiger, aber glücklich überstandener Cholera-Anfall; viele Leute erholten sich erst nachdem die Epidemie zu Ende war. Ein sehr lästiges Symptom war bei solchen Patienten die Stuhlverstopfung, da der Arzt mit Abführmitteln ausserordentlich vorsichtig sein musste. Es ist nicht Vorurtheil, sondern ist in der That der Fall, dass ein in solchen Fällen unvorsichtig gegebenes Abführmittel den Cholera-Anfall zum Ausbruch bringen kann.

Vielleicht hing mit dieser grösseren Bösartigkeit auch die anscheinend grössere Ansteckungsfähigkeit (Lebenskraft und Lebensfähigkeit des Contagiums) zusammen.

Typhoid kam nicht sehr häufig vor, nur erst gegen Ende der Epidemie, als dieselbe auch an Intensität abnahm, wurde dasselbe häufiger.

Ich erwähnte schon früher, dass in dem Jahre, welches der Cholera-Epidemie voranging, Diarrhöen mit vorherrschend schleimigen oder schleimblutigen etc. Stühlen sehr verbreitet waren. Derartige Stühle wurden während der Epidemie fast gar nicht gesehen; sobald aber die Epidemie an Intensität abnahm, kamen sie wieder zum Vorschein und ich habe gegen Ende der Epidemie Cholerafälle gesehen, wo die echten Cholerastühle ganz fehlten oder nur sehr vorübergehand auftraten und durch jene schleimigen Stühle ersetzt wurden. Während der Epidemie von 1855 sah ich diese Stühle häufiger; wie damals, so gaben auch in dieser Epidemie diese Stühle immer eine gute Prognose.

Ausserdem habe ich über den Verlauf der einzelnen Krankheitsfälle, über ihre Nachkrankheiten und Complicationen nichts beobachtet, was diese Epidemie vor andern ausgezeichnet hätte.

Im Jahre 1855 glaubte ich, in dem Argent. nitric. ein Mittel gefunden zu haben, welches bei Behandlung der Cholera von besonderem Nutzen sei; in dieser Epidemie leistet es mir auch nicht mehr als Tannin, Colombo, Plumb. acet. u. a. m. Mittel, welche unter Umständen gegen die Cholerine und Cholera-Diarrhöe mit vielem Nutzen gegeben werden konnten. Mehr als das Argent. nitric. schien mir Calomel, gr β bis grj stündlich gegeben, in schweren aeuten Fällen zu wirken; dass man aber auch mit diesem Mittel ebenso wenig, wie mit einem andern die Krankheit beherrschen konnte, zeigt schon das Sterblichkeits-Verhältniss zur Genüge.

Trotz alledem würde es aber doch sehr thöricht sein, gerade dieser Krankheit gegenüber, sich der Resignation eines rein expectativen Verfahrens ergeben zu wollen. Trotz alledem behaupte ich, dass man gerade bei der Cholera zur rechten Zeit und mit den rechten Mitteln viel zu nützen und zu helfen im Stande ist. Sehr gute Dienste leisteten unter andern und wurden von den Kranken meist selbst sehr wohlthätig empfunden und verlangt, die eiskalten Umschläge über den Bauch im Stadium algidum, während bei beginnender Diarrhöe mit Bauchkollern, bei Cholerine und im späteren Stadium der Cholera wieder warme Umschläge einen höchst wohlthätigen Einfluss zeigten. Auch Klystiere von Stärkemehl oder Plumb. acet. mit Tr. Opil gtt. XII bis XV wirkten oft in den leichten Fällen und der Cholerine vortrefflich. Dass das Opium den Eintritt der Paralyse begünstige und deshalb schädlich wirke, wie oft behauptet wird, halte ich für ein Vorurtheil; man verwechselt hier das post hoc mit propter hoc. Im Stadium algidum nützt es nichts mehr, aber sonst ist es ein unentbehrliches Mittel.

Eis und eiskalte Getränke bewährten sich im Stadium algidum wieder als ein unentbehrliches, nicht nur wohlthätig empfundenes, sondern selbst heilendes Mittel, während beim Beginne der Diarrhöe mit Bauchkollern etc. eine Tasse recht warmen Thee (Camillen oder Pfeffermünz) mit Wein oder Rum etc. oft sehr gute Dienste leistete. Wann warmes oder kaltes Getränk, wann warme oder kalte Umschläge, wann Calomel oder Argent. nitric., Tannin, Colombo, wann Vinum camphorat., Wein und andere Reizmittel, wann wieder leichte aber nahrhafte Nahrungsmittel wie Kaffee, Fleischbrühe, Eierbrühe zu reichen sind, darüber lassen sich bestimmte Regeln nicht aufstellen; es bleibt dies dem Geschick und Talent des erfahrenen Arztes überlassen.

Zum Schluss erlaube ich mir noch, meine persönliche Ueberzeugung in Betreff der Aetiologie, wie sie sich aus meinen Beobachtungen und Untersuchungen gebildet hat, in folgenden kurzen Sätzen zusammenzufassen.

1. Die Cholera ist übertragbar und entsteht bei uns zu Lande nur durch Einschleppung.

2. Die Einschleppung giebt aber nur dann zur Epidemie Veranlassung, wenn an der betreffenden Oertlichkeit und zur bestimmten Zeit die äusseren Bedingungen zur Entwickelung der Epidemie gegeben sind.

3. In dieser Beziehung sind die Terrain-Verhältnisse, die physikalische Beschaffenheit des Grund und Bodens (Porosität oder wenigstens hygroscopische Beschaffenheit der oberen Schichten) nebst den Wasser-Verhältnissen von entscheidender Wichtigkeit.

4. Ob Grundwasser-Verhältnisse, wie sie Pettenkofer voraussetzt, dazu nothwendiges Erforderniss sind, und in wie weit dies der Fall ist, halte ich noch für eine offene Frage. Ein gewisser Grad von Feuchtigkeit der oberen Schichten scheint erforderlich.

5. Ob und inwieweit das Fluss- und Brunnenwasser als zufälliger Träger und Verbreiter des Choleragiftes zur Verbreitung der Krankheit beitragen kann, ist ebenfalls noch eine offene Frage.

Zur Entscheidung dieser wichtigen Fragen sind die sorgfältigsten Beobachtungen und Untersuchungen von grosser Wichtigkeit.

6. Wo einmal die Cholera in einem Orte epidemisch ist, leistet ihr nichts so sehr Vorschub, als schlechte Wohnungen, unzweckmässige Anlage der Abtritte, Unreinlichkeit, schlechte Ventilation, Ueberfüllung enger Räume mit Menschen, enger Bau der Häuser und Höfe, sowie Armuth und Elend in den Wohnungen.

7. Das Contagium oder der Same desselben ist, wenn nicht ausschliesslich, doch ganz vorzugsweise in den Dejectionen der Cholerakranken zu suchen, doch scheinen letztere selten in frischem Zustande eine directe Ansteckung zu veranlassen, sondern es scheint das Contagium erst ausserhalb des menschlichen Körpers in verschiedenen Medien, vielleicht auch in den Leichen zur vollen Entwickelung zu gelangen, und sich zu vervielfältigen, vorausgesetzt dass es die nothwendigen äusseren Bedingungen vorfindet. Fehlen letztere so geht der Krankheitssame unter, ohne die Krankheit weiter zu verbreiten.

8. Die Witterungs-Verhältnisse haben jedenfalls nur einen mittelbaren Einfluss.

9. Diät, Erkältung und andere Gelegenheits-Ursachen sind die treuen Verbündeten der Cholera, können sie aber an sich nicht erzeugen.

10. Die individuelle Disposition ist selbstverständlich die nothwendige Bedingung zur Entstehung der Krankheit; durch die überstandene Krankheit selbst und durch eine Epidemie

wird die Disposition in dem Individium und in einer Bevölkerung auf kürzere oder längere Zeit beschränkt.

Aus alledem folgt, dass vor allen Dingen in prophylactischer
Beziehung und von Seiten der Medicinal-Polizei die Dejectionen und alle Medien, durch welche sie verbreitet werden
können, die grösste Aufmerksamkeit verdienen. Die grosse
Schwierigkeit zweckmässiger polizeilicher Massregeln liegt aber
darin, dass erstlich eine erfolgreiche Beschränkung des Verkehrs
(Absperrung etc.) unausführbar ist, und ein grösseres Unglück
involviren würde, als die Cholera selbst; dass zweitens wir bis
jetzt kein sicheres Mittel kennen, welches die Dejectionen überhaupt und namentlich zur rechten Zeit und am rechten Orte
unschädlich machte. Die gewöhnlichen, bisher benutzten Desinfectionsmittel scheinen von unzureichender Wirkung; besonders
gilt dies von dem Eisenvitriol; mehr zu empfehlen würde wohl
die Carbolsäure sein, und endlich, dass — wie bei allen ansteckn-
den Krankheiten, die leichten abortiven Formen (Cholerine und
Cholera-Diarrhöe) ebenso gut ein Contagium zu erzeugen ver-
mögen, wie die ausgebildete Cholera und deshalb in der Mehr-
zahl der Fälle es gar nicht zur Cognition kommt, wann und
wie das Krankheitsgift in eine Oertlichkeit eingeschleppt und
verbreitet wird.

Druck von J B. Hirschfeld in Leipzig.

Nachtrag.

Zur Vervollständigung meiner Mittheilung über die Cholera in der Irrenanstalt (Pag. 19 u. f.) erwähne ich, wie ich nachträglich noch in Erfahrung gebracht habe, dass bei einer, durch die gegenwärtige Direction veranlassten Untersuchung, der Hauptkanal, welcher die Bestimmung hat, die Gebäude der Männerabtheilung vom Grundwasser zu befreien, vollkommen verstopft gefunden worden ist.